D1418533

la vie rêvée des

mythes, légendes et réalités

les gens les lieux

des

AMOUREUX

les lieux

les manifestations de l'amour

Solar

mythes, légendes et réalités

la **vie rêvée** des **AMOUREUX**

les gens les lieux

les lieux

les manifestations de l'amour

Textes

de

Monique Pivot

Solar

MYTHES, LÉGENDES ET RÉALITÉS

6

LES GENS

34

LES LIEUX

62

LES MANIFESTATIONS DE L'AMOUR

88

MYTHES, LÉGENDES
ET RÉALITÉS

MYTHES, LÉGENDES ET RÉALITÉS

L'amour ne serait-il qu'un mythe, une légende portant les aspirations de l'homme vers une utopique fusion d'être à être et fruit exclusif de son imagination? Ou est-il cette réalité intangible que d'aucuns, tels les poètes, proclament haut et fort, le mythe n'étant alors que symbolique de cette parfaite fusion de deux êtres qui le définit? Quoi qu'il en soit, l'amour, rêve inaccessible ou réalité contingente, nous est depuis toujours, il faut bien l'avouer, aussi indispensable que l'air que nous respirons.

L'amour est-il une création humaine, ou n'est-il pas, plus vraisemblablement, d'essence divine? Dès l'Antiquité, dieux et déesses ne semblent en effet avoir vécu que pour le pratiquer. Sous toutes ses formes. Doit-on pour autant affirmer que le dieu Amour a présidé à l'existence et à la perpétuation de l'espèce humaine? Oui, si on l'assimile à la simple reproduction de l'espèce, ce qui en exclut nombre de couples légendaires. Non, si l'on juge que l'amour, c'est bien autre chose et, au-delà de l'union des corps, un élan, une fusion, un vœu

(pieux?) : celui de s'aimer toujours. Longtemps, il n'a pas paru indispensable d'être amoureux pour se marier et avoir des enfants. C'était même assez mal vu, par l'Église notamment. De nos jours, l'amour est roi. Peu importe le reste. Le malheur des uns faisant le bonheur des autres – et vice versa –, on assiste au triomphe de l'amour. Réalité quotidienne, à portée de main et de désir. Nous vous présentons, dans cette première partie de *la Vie rêvée,* la manière dont, au cours des siècles, on a « déclaré sa flamme » et les différents « types » d'amour, de l'amour courtois à la passion criminelle, les couples mythiques, ceux qui ont bâti et qui continuent d'entretenir la légende. Et comment les amoureux vivent et nourrissent leur passion, au prix parfois d'excentricités, amusantes, folles ou tragiques. Où l'on s'apercevra que l'amour, c'est à la fois simple comme bonjour, ou plutôt comme bonsoir, et compliqué comme la vie. « Tout est bien qui finit bien », « ils furent heureux et eurent beaucoup d'enfants » concluent la plupart des contes de fées sur le thème amoureux. Réalité de la légende ou légende de la réalité ? C'est ce que nous allons voir…

De gauche à droite :
Retour d'Ulysse par Corazzelli Guidoccio (1450-1516/1517). Ulysse retrouve sa fidèle Pénélope. Musée national de la Renaissance, Écouen.
Cendrillon quitte le bal au désespoir du fils du roi. Manufacture des Gobelins d'après un carton de Jean Veber.
Poète auprès de sa dame. Scène exemplaire de l'amour courtois. Miniature du XIVe siècle.
Josette Day et Jean Marais dans *la Belle et la Bête* : la beauté des contraires (film de Jean Cocteau, 1946).

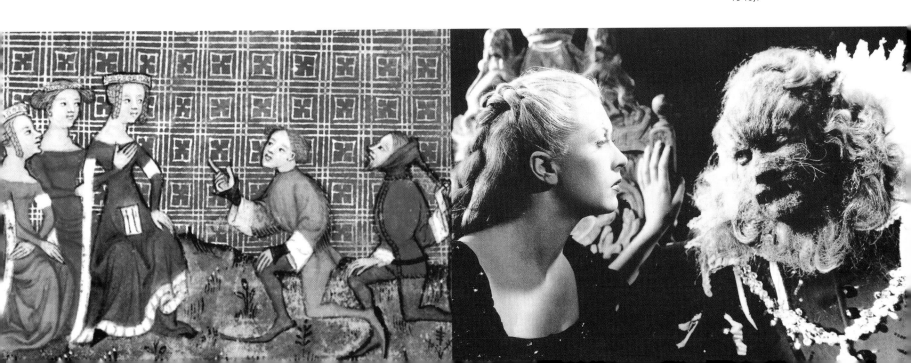

Histoire de l'amour à travers les siècles

L'amour est aussi vieux que l'histoire humaine. Dans les plus anciens mythes antiques, il est évoqué à travers le dieu Éros comme principe de vie et désir de fécondité. Car, tout autant que le rire, l'amour est le propre de l'homme. Comment peut-on imaginer Adam et Ève indifférents l'un à l'autre – c'est sans doute l'expérience même de leur amour qui les fit chasser du Paradis – ou des mythes fondateurs sans la certitude de sa réalité ? Et la religion ne peut guère se concevoir sans amour de Dieu ni élan mystique.

Certes, à moins d'appartenir à une famille noble, on faisait peu sa cour aux siècles précédents. Les chemins pour demander la main d'une jeune fille passaient par le respect de sa vertu, quelques lettres non exemptes d'érotisme, mais un érotisme soigneusement dissimulé ou alors mêlé de poésie, un bouquet de-ci, de-là, une bague de fiançailles – mais d'effusions le moins possible.

Il faut nuancer : Tristan et Iseut bravèrent les foudres du roi Marc, Héloïse épousa secrètement son précepteur Abélard, défiant son oncle le chanoine Fulbert qui fit alors émasculer le jeune homme, brillant théologien, Lancelot du lac consentit à tous les sacrifices pour séduire l'épouse de son suzerain le roi Arthur, Guenièvre, qui cependant ne céda jamais.

L'amour courtois tel qu'on le pratiquait au Moyen Âge, demeure un modèle du genre, et était répandu principalement en Provence et dans le Midi, où les préjugés étaient moins contraignants que dans le Nord. Les troubadours se voyaient imposer toute une série d'épreuves pour conquérir le cœur d'une belle, généralement de noble extraction. La plupart du temps, cependant, ils ne recevaient en récompense de ce service d'amour qu'un simple baiser, voire un geste que l'on n'oserait qualifier d'audacieux mais qui était au moins osé pour l'époque.

Au XIe siècle, Guillaume IX d'Aquitaine, grand seigneur et grand débauché (il fut même excommunié), a chanté le désespoir du chevalier troubadour :

Sarcophage étrusque. L'époux tient délicatement sa femme contre lui en signe de protection.
Musée du Louvre, Paris.

Roman du chevalier Galaad, Tristan et Lancelot. Tristan, grâce à un déguisement de fou, retrouve Iseut en Cornouailles. Musée Condé, Chantilly.

Couple du XVIᵉ siècle. Gravure d'après Goltzius. Regards concupiscents et gestes audacieux. Les yeux en disent long… Bibliothèque nationale de France, Paris.

Femme de qualité en promenade avec un homme de cour (XVIIᵉ siècle). Gravure de Nicolas Arnoult. Bibliothèque nationale de France, Paris.

« [...] Ma dame me tente et m'éprouve pour savoir de quelle façon je l'aime : mais jamais, quelles que soient les querelles qu'elle me cherche, je ne me délierais de son lien [...]

[...] Qu'y gagnerez-vous, dame jolie, si vous m'éloignez de notre amour ? Il semble que vous vouliez vous faire nonne. Mon amour est tel, sachez-le, que je crains de mourir de douleur, si vous ne réparez les torts au sujet desquels j'élève vers vous ma plainte [...] »

Ronsard célébrera l'amour, ses amours devrait-on dire, non payés de retour, envers les trois femmes auxquelles il dédiera ses plus beaux vers, Cassandre Salviati, Marie Dupin et Hélène de Surgères.

À Cassandre :

> *« Bienheureux soit mon tourment qui r'empire*
> *Et le doux joug sous qui je ne respire ;*
> *Bienheureux soit mon penser soucieux.*
>
> *Bienheureux soit le doux souvenir d'elle,*
> *Et plus heureux le foudre de ses yeux*
> *Qui cuit ma vie en un feu qui me gèle. »*

À Marie :

> *« J'ai l'âme pour un lit de regrets si touchée,*
> *Que nul homme jamais ne fera que j'approche*
> *De la chambre amoureuse, encore moins de la couche*
> *Où je vis ma maîtresse au mois de Mai couchée. »*

C'est à Hélène que s'adresse le Ronsard vieillissant, qui sait fort bien que jamais la belle, jeune et fort courtisée, ne tombera dans ses bras et qui pleure sur ses propres cheveux blancs :

> *« Rentrer en mon Avril désormais je ne puis :*
> *Aimez-moi s'il vous plaît, grison comme je suis,*
> *Et je vous aimerai quand vous serez de même. »*

« Ronsard célébrera l'amour, ses amours devrait-on dire. »

En haut :
sur un fond de Carte du Tendre se noue l'intrigue de *Clélie,* le roman de Madeleine de Scudéry (1607-1701).
En médaillon :
un gentilhomme prend congé d'une dame de qualité. Gravure de Launay, d'après Moreau le Jeune (1777).
Bibliothèque nationale de France, Paris.

Au salon de la rue des Moulins, Henri de Toulouse-Lautrec (1864-1901). Les visages figés des dames, aux différents stades de leur carrière, expriment toute leur désespérance. Musée d'Albi.

Les Promeneurs, Claude Monet (1840-1926). Élégance et retenue sont à l'image des sentiments amoureux. Musée de Washington.

Une femme, Louise Labé (1524-1566), reprend à cette époque la longue tradition érotique si bien représentée par des jongleurs médiévaux, tels Jean Bodel d'Arras ou Gautier Le Leu, et des poètes comme Clément Marot.

> « Baise m'encor, rebaise-moi et baise :
> Donne m'en un de tes plus savoureux,
> Donne m'en un de tes plus amoureux :
> Je t'en rendrai quatre plus chauds que braise [...]
> Ainsi mêlant nos baisers tant heureux
> Jouissons nous l'un de l'autre à notre aise. »

« Ainsi mêlant nos baisers tant heureux Jouissons nous l'un de l'autre à notre aise. »

À la période classique, l'amour tient le haut du pavé, tant dans les salons que dans la littérature. Melle de Scudéry élabore sa Carte du Tendre, le genre bergerie fait florès et l'amour noble et héroïque éclate en alexandrins sur les scènes de théâtre et d'opéra.

Succédant aux romanesques, les romantiques prôneront ensuite une cour discrète, toute en nuances et en demi-teinte, en promenades et en chevauchées épiques, en prose et en vers.

Des *Méditations poétiques* de Lamartine dédiées à Elvire au théâtre de Musset, les amoureux se regardent dans les yeux, s'offrent pour mieux se dérober, échangent vœux et serments, mais s'abandonnent aussi à la passion, voire à l'excès et au désespoir.

De badinages en billets doux, de déclarations à genoux en début d'étreinte, le XIXe siècle et plus encore le XXe en arrivent à admettre l'idée que l'amour, ça ne se passe pas uniquement dans la tête et le cœur. Au point que de nos jours, l'expression « faire la cour » n'a plus guère de sens et prête à rire.

Mais qui sait? Dans un avenir proche, il est bien possible que l'on renoue avec cette galante coutume, un rien désuète, sous une forme ou sous une autre. Qu'importe.

Quelle part laissée à l'amour dans un univers ouvrier déchu par l'alcool au siècle d'Émile Zola (1840-1902)? Musée des Arts décoratifs.

COUPLES MYTHIQUES

Authentiques ou forgés de toutes
pièces, les couples mythiques hantent
notre imaginaire et notre conscience
collective. Qu'il s'agisse d'Adam
et Ève ou d'Orphée et Eurydice,
de Philémon et Baucis, d'Ulysse
et Pénélope ou de Tristan et Iseut,
nul ne nous est indifférent et
tous nous servent – ne serait-ce
qu'inconsciemment – de modèles.

Adam et Ève par Albrecht Dürer
(1471-1528). La beauté sans fard
d'avant le péché originel.
Musée du Prado, Madrid.

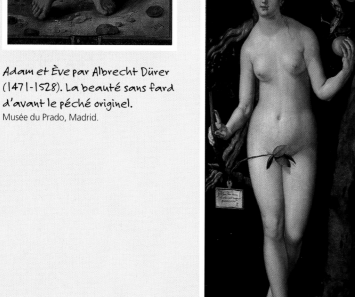

Vénus et l'Amour
endormis, peint
par Jean-Baptiste
Regnault (1754-
1829), gravé
par Cazenave.
L'innocence
de l'amour que
ne perturbe pas
la sensualité
de la chair.

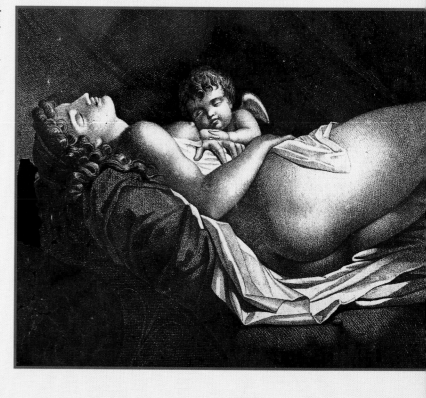

Lettres d'Héloïse
et Abélard, gravé
par Jean-Michel Moreau
le Jeune (1741-1814).
Les amants ont
conscience
de transgresser
l'interdit religieux.
Bibliothèque nationale
de France, Paris.

Paul et Virginie, célèbre
roman de 1788
de Bernardin
de Saint-Pierre,
met en scène un couple
vertueux en complet
décalage avec
le décor exotique
luxuriant propice
aux amours
voluptueuses.
Musée national des Arts
d'Afrique et d'Océanie, Paris.

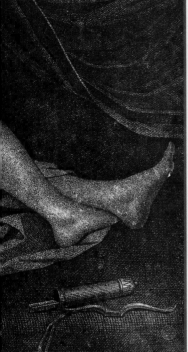

Jupiter et Mercure chez Philémon et Baucis, par Jacob Jordaens (1593-1678). Cette légende illustre le devoir d'hospitalité et la fidélité conjugale. Atheneum, Helsinki.

Dans *le Rouge et le Noir*, adaptation cinématographique de 1954 du roman de Stendhal, Claude
Autant-Lara met en scène un couple inoubliable : Gérard Philipe et Danielle Darrieux. L'amour dépasse
les différences sociales et la bonne morale bourgeoise.

L'amour comme refuge éternel

« À quoi ça sert l'amour, ça sert à rien l'amour » a chanté Édith Piaf avec une grande force de conviction et beaucoup de succès. Sans susciter trop de controverses. Car nul amoureux au monde ne s'est jamais soucié de la finalité de son amour. La passion, c'est bien connu, ne se pose aucune question, tendue tout entière vers un autre unique et irremplaçable. « Il y a soixante reines, quatre-vingts concubines et des jeunes filles sans nombre. Une seule est ma colombe, ma parfaite ; elle est l'unique », psalmodie telle une évidence le Cantique des cantiques.

Dans l'Antiquité grecque, l'amour était « donné » par les dieux, l'être aimé devenant un reflet de la perfection divine. Dans le même temps, à Rome, Ovide charmait la bonne société avec ses *Amours* et *l'Art d'aimer*. Depuis les amours bibliques jusqu'à la « moitié d'orange » dont parle Jean-Louis Bory, il ne s'agit de rien d'autre que de trouver celui ou celle qui est fait pour vous. Le reste n'est que littérature, le mariage y compris. Cet être unique peut être unique pour la vie, quelques jours ou quelques mois. Il n'importe : « l'autre » permet de fonder le couple, de le projeter plus ou moins durablement vers l'avenir.

« Les gens heureux n'ont pas d'histoire, paraît-il. »

De tout temps, l'amour a inspiré les artistes, qui l'ont regardé différemment, soit qu'ils racontaient leur propre vécu, soit qu'ils l'attribuaient à un autre ou une autre (« Madame Bovary, c'est moi », affirmait Flaubert). Les gens heureux n'ont pas d'histoire, paraît-il. Les peintres, sculpteurs, écrivains, musiciens en ont une, qui finit rarement bien.

De Dante à Aragon, de Chrétien de Troyes à Léo Ferré, les amoureux n'ont pas toujours connu un destin favorable. N'empêche qu'ils ont vécu l'exaltation, l'attente, l'embrasement de l'esprit et des sens, la certitude que « ça » durerait éternellement. Car l'amour est une valeur refuge éternelle, un cocon où l'on court abriter son bonheur ou apaiser ses malheurs.

Dire que l'on a beaucoup, infiniment écrit sur et à propos de l'amour est un euphémisme. Durant des siècles, il n'existait qu'un moyen de faire

La Divine Comédie (1307-1321) de Dante est ici illustrée par l'école vénitienne. Béatrice conduit Dante au Paradis où il rencontre des saints. L'amour a conduit Dante vers la bénédiction divine.

L'Hymne du matin chez Bach, gravure de Biscombe-Gardner d'après Rosenthal. Le bonheur domestique quand on a une famille nombreuse.

...poèmes d'amour

Moins je la vois, certes plus je la hais ;
Plus je la hais, et moins elle me fâche.
Plus je l'estime, et moins compte j'en fais ;
Plus je la fuis, plus veux qu'elle me sache.
En un moment deux divers traits me lâche
Amour et haine, ennui avec plaisir.
Forte est l'amour qui lors me vient saisir,
Quand haine vient et vengeance me crie :
Ainsi me fait haïr mon vain désir
Celle pour qui mon cœur toujours me prie.

Maurice Scève, *Délie*, 43, 1544.

En toi je vis, où que tu sois absente ;
En moi je meurs, où que je sois présent.
Tant loin sois tu, toujours tu es présente ;
Pour près que sois, encore suis-je absent.
Et si nature outragée se sent
De me voir vivre en toi trop plus qu'en moi ;
Le haut pouvoir qui, ouvrant sans émoi,
Infuse l'âme en ce mien corps passible,
la prévoyant sans son essence en soi,
En toi l'étend comme en son plus possible.

Maurice Scève, *Délie*, 144, 1544.

« Rien ne comble autant un poète ou un écrivain que le récit de l'aventure amoureuse. »

connaître ses sentiments : écrire. Poèmes, lettres, billets, la littérature regorge de déclarations et de serments. Le théâtre de Musset, celui de Marivaux ou de Tennessee Williams ne sont rien d'autre que des histoires d'amour avec des péripéties autour.

En assurant qu'*On ne badine pas avec l'amour*, Musset épanchait la douleur de sa rupture avec George Sand. Shakespeare, avec *le Songe d'une nuit d'été*, *Roméo et Juliette* ou *Othello*, n'est guère plus heureux, et pas davantage Tennessee Williams (*la Chatte sur un toit brûlant*, *Un tramway nommé Désir*, etc.)

Seul Marivaux, même si son œuvre ne saurait être ramenée à un aimable marivaudage, présente l'amour sous des traits plus riants avec *la Double Inconstance* et *le Jeu de l'amour et du hasard*. Beaumarchais de même qui, en encourageant les tendres sentiments de Chérubin pour la comtesse Almaviva dans *le Mariage de Figaro*, nous parle en vérité de tout autre chose que d'amour. Classiques, romantiques et contemporains usent et abusent de l'amour et des amoureux. Rien ne comble autant un poète ou un écrivain que le récit de l'aventure amoureuse. Stendhal avec *le Rouge et le Noir* et *De l'amour* (tout à la fois essai et autobiographie), Goethe avec ses *Chant de mai*, *Bienvenue* et *Adieu*, Valery Larbaud (*Amants, heureux amants*), Apollinaire avec la *Chanson du Mal-Aimé* :

> [...] Lorsqu'il fut de retour enfin
> Dans sa patrie le sage Ulysse
> Son vieux chien de lui se souvint
> Près d'un tapis de haute lisse
> Sa femme attendait qu'il revînt
>
> L'époux royal de Sacontale (1)
> Las de vaincre se réjouit

(1) Héroïne d'un récit indien (V siècle après J.-C.), célèbre pour sa fidélité.

En médaillon :
Benjamin Constant
(1767-1830), gravure
d'Ambroise Tardieu,
1821.
À droite : Mme de Staël
(Germaine Necker)
(1766-1817). Portrait
anonyme.
Musée napoléonien, Rome.

Quand il la retrouva plus pâle

D'attente et d'amour yeux pâlis

Caressant sa gazelle mâle

J'ai pensé à ces rois heureux

Lorsque le faux amour et celle

Dont je suis encore amoureux

Heurtant leurs ombres infidèles

Me rendirent si malheureux

Benjamin Constant dans *Adolphe :* « L'amour s'identifie tellement à l'objet aimé que dans son désespoir même il y a quelque charme. Il lutte contre la réalité, contre la destinée; l'ardeur de son désir le trompe sur ses forces, et l'exalte au milieu de sa douleur. »

Paul Eluard dans *l'Alliance :*

Définitivement ils sont deux petits arbres

Seuls dans un champ léger

Ils ne se sépareront plus jamais,

Jacques Prévert dans *Adonides :*

Je suis heureuse

Il m'a dit hier

Qu'il l'aimait

Je suis heureuse et fière

Et libre comme le jour

Il n'a pas ajouté

Que c'était pour toujours.

À droite : Wolfgang
Amadeus Mozart
(1756-1791) par Pierre
Roch Vigneron.
Conservatoire de Paris.
En médaillon :
Constance Mozart
par Weber.

Tous ces auteurs donnent à voir le bonheur, le malheur, la joie et l'espoir, la passion jusqu'à la mort, comme dans *Belle du Seigneur* d'Albert Cohen. L'amour dans tous ses états… Les peintres n'ont pas connu la même liberté d'inspiration et de ton. Longtemps, les sujets religieux ou allégoriques furent seuls autorisés : les vénus et les cupidons évoquent et

Verdi, à Florence en 1847, préparant la mise en scène de *Macbeth*, songeait-il à un rôle pour la célèbre soprano Giuseppina Strepponi **(ci-dessous)** qui deviendra son épouse ?

symbolisent l'amour, en aucun cas le couple. Quant aux portraits, ils sont davantage des œuvres de commande que la célébration de la femme aimée, même s'il n'était pas rare que le peintre tombât amoureux de son modèle. Il faut attendre l'arrivée de Picasso qui représente les femmes de sa vie, Dalí peignant Gala, Bernard Buffet, Annabel.

Si l'on veut bien mettre à part Wagner, époux comblé de Cosima, la fille de Liszt, Schumann qui, après de nombreux tourments, parvint à épouser « sa » Clara et le bouillant Verdi dont la liaison avec la Strepponi, sa cantatrice favorite, exerça une influence heureuse sur son œuvre, les « grands » musiciens n'ont guère été heureux en amour – et c'est ainsi que nombre d'entre eux ont composé d'impérissables chefs-d'œuvre. Beethoven ne connut guère que des amitiés amoureuses et autant de déceptions sentimentales (on ne saura jamais à qui était destinée la lettre à « l'Immortelle Bien-Aimée »). Tout comme Schubert, desservi par un physique ingrat. Mozart, quant à lui, ne trouva qu'un substitut de bonheur auprès de Constance, et il n'est pas sûr que Bach, qui eut treize enfants d'une chanteuse, Anna Magdalena, ait été pour autant très heureux. Plus près de nous, compositeurs et chanteurs ont à l'infini glorifié les amoureux : de Francis Lemarque à Georges Brassens, Charles Aznavour et Bernard Lavilliers, paroles et musique trouvent leur meilleure source d'inspiration dans l'amour :

À cœur perdu, À la pêche des cœurs, Aimer à perdre la raison, Aimer est plus fort que d'être aimé, les Amants tristes, l'Amour cerise, les Amoureux des bancs publics, Autant d'amour autant de fleurs, Bal petit bal, la Bohème, C'est merveilleux l'amour, C'est toujours la première fois, Celui que j'aime, Le chef de gare est amoureux, le Cœur sur la corde raide, Hymne à l'amour, Des milliers de baisers perdus : il faudrait une encyclopédie en plusieurs volumes pour citer seulement les titres des chansons d'amour – sans parler de celles qui s'écrivent en ce moment même... L'amour est véritablement « vieux comme le monde ». C'est peu dire...

Gala, que l'on voit ici aux côtés de Salvador Dalí à Port Lligat en novembre 1957, fut d'abord la compagne du poète Eluard avant de devenir celle du peintre espagnol. Dans les deux cas, la femme a inspiré l'artiste.

Ballade...

Dites-moi : où, n'en quel pays
Est Flora la belle Romaine,
Alcibiade, ne Thaïs,
Qui fut sa cousine germaine?
Echo, parlant quand bruit on mène
Dessus rivière ou sur étang
Qui beauté eut trop plus qu'humaine?
Mais où sont les neiges d'antan?

Où est la très sage Héloïs
Pour qui fut châtié, puis moine,
Pierre Abélard à Saint-Denis?
Pour son amour eut cette essoyne.
Semblablement, où est la Reyne
Qui commanda que Buridan
Fût jeté en un sac en Seine?
Mais où sont les neiges d'antan?

La Reine blanche comme lis
Qui chantait à voix de sirène,
Berthe au grand pied, Bietris, Alis,
Haremburgis qui tint le Maine,
Et Jeanne la bonne Lorraine
Qu'Anglais brûlèrent à Rouen?
Où sont-elles, Vierge souveraine?
Mais où sont les neiges d'antan? [...]

Georges Brassens à Bobino en 1969.
Extrait de la Ballade des dames du temps jadis,
de François Villon, mise en musique par Brassens.

L'AMOUR EN REPRÉSENTATION

S'il est un sujet commun à nombre d'artistes peintres, c'est bien celui de l'amour. Thème fédérateur par excellence, les amours platoniques ou conjugales, les scènes coquines, les figurations mythologiques les ont constamment inspirés, des primitifs aux plus contemporains d'entre eux. D'autant peut-être que l'allégorie amoureuse autorisait le nu, banni par ailleurs longtemps du portrait ou de la simple représentation humaine.

Attitude énigmatique chez ce couple d'Amants vénitiens peints par Bordone (1500-1571). Pinacothèque, Milan.

Belles parures et rapaces de choix pour cette dame et ce cavalier du XVᵉ siècle réunis par la passion de la chasse.
Anonyme, Palazzo della Regione, Padoue.

La Naissance de Vénus de Botticelli (1445-1510) n'en finit pas de nous faire rêver.
Musée des Offices, Florence.

À y regarder de près, l'Embarquement pour Cythère si célèbre de Jean Antoine Watteau (1684-1721) représente plus qu'un voyage : c'est la figuration de plusieurs scènes galantes.
Musée du Louvre, Paris.

Visite à la fiancée par Émile Loubon (1809-1863)...
À l'origine, les fiançailles étaient conçues comme un moyen pour les amoureux de mieux se connaître.
Musée des Beaux-Arts, Marseille.

Par Rubens (1577-1640), voici le Mariage de l'artiste et d'Isabelle Brandt. Un mariage d'amour, semble-t-il. Pinacothèque, Munich.

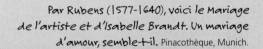

Le Trompette et la Servante par Pieter Leermans (1655-1707).
Musée de Rennes.

L'AMOUR EN REPRÉSENTATION

Derrière l'austérité des deux personnages, quelle paix conjugale dans ce tableau des *Époux Arnolfini* de Van Eyck (vers 1390-1441)! National Gallery, Londres.

Jardin d'amour
à la cour de
Philippe le Bon
(à l'occasion
du mariage de
on chambellan).
XVIᵉ siècle, château
de Versailles.

Odalisque
par
Jean Baptiste
Ange Tissier
(1814-1876).
Musée national
des Arts d'Afrique
et d'Océanie,
Paris.

À propos du Baiser de Gustav Klimt (1862-1918), voici
ce qu'écrit Jacques Serena : « Ce qui frappe, là, c'est
l'or, la sensation d'ineffable que ça donne, pour ne pas
dire de céleste. » Galerie d'Art autrichien, Vienne.

Le Baiser de Francesco Hayez (1791-1882)
est plein de passion fougueuse. Le cinéma
d'aujourd'hui sur un tel sujet ne fait pas mieux.
Pinacothèque, Milan.

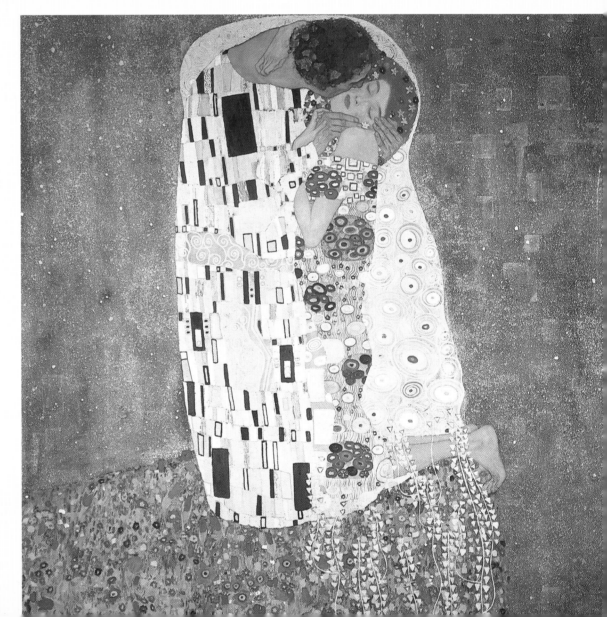

Daphnis
et Chloé,
que l'on
retrouve ici
à travers
la statuaire,
échangent un
doux baiser.
Leurs gestes
amoureux
témoignent
d'une
parfaite
harmonie.
Hôtel de Ville,
Paris.

Les différentes formes d'amour

Illustration pour *les Souffrances du jeune Werther*, l'œuvre romantique par excellence de Goethe (1749-1832), par Jean Baptiste Blaise Simonet (1742-1813).
Biliothèque nationale, Paris.

Parler d'amour et, a fortiori, écrire sur l'amour et les amoureux, c'est consigner l'histoire de l'humanité tout entière depuis que le monde est monde. D'Adam et Ève aux derniers et médiatiques mariages princiers, des amours mythiques aux passions anonymes, les amoureux ont fait tourner le monde, ont aidé l'homme à naître, à grandir, à créer, à espérer. Sans l'amour, moteur de nos rêves, de nos aspirations, de notre vie même, nous n'en serions pas là où nous en sommes aujourd'hui. Avec ses élans, ses envolées, ses chavirements, ses chagrins, ses désespoirs aussi, ses souffrances et ses drames, il a accompagné notre histoire depuis les temps les plus reculés. Et distingue plus que tout notre espèce, apte à la passion, à la volupté et au dépassement de soi, de l'ensemble du règne animal.

L'amour n'a pas d'âge, les amoureux non plus. Il nous poursuit tout au long de l'existence. Et il est aussi émouvant de le reconnaître dans un couple âgé qui le vit en tourtereaux ou le redécouvre au quotidien que de le voir naître, frais et innocent, dans les cours de récréation des classes maternelles.

« Nous sommes tous à la recherche d'un bonheur dont nous pensons, à tort ou à raison, que seul l'amour peut nous le donner. »

D'amours heureuses en crime passionnel, d'extase mystique en noces de diamant, nous sommes tous à la recherche d'un bonheur dont nous pensons, à tort ou à raison, que seul l'amour peut nous le donner. Les voies du dieu Amour étant, comme celles du Seigneur, impénétrables, il existe différents formes de ce sentiment qui n'a pas fini de faire parler de lui. Nous en avons « recensé » quelques-unes, il en existe des centaines d'autres, et d'autres encore…

– les chastes amours : Paul et Virginie, les protégés de Bernardin de Saint-Pierre, dont l'idylle se déroule dans la luxuriante île Maurice ; Brigitte Fossey et Georges Poujouly dans *Jeux interdits*, de René Clément ;
– les amours légendaires : Vénus et Adonis : aimé de Vénus,

Georges Poujouly et Brigitte Fossey sont les tendres héros des amours enfantines dans le film de René Clément *Jeux interdits* (1952).

Ce n'est qu'à partir de 1769 (cinq ans après la mort de Mme de Pompadour), que la ravissante Mme Du Barry (1743-1793) devint la favorite du roi Louis XV. Dessin de François-Hubert Drouais (1727-1775).

Les amours historiques des Rois Catholiques Ferdinand II d'Aragon et Isabelle de Castille favorisèrent l'unité de l'Espagne au XVe siècle.
Chapelle royale, Grenade.

Othello et Desdémone par Théodore Chasseriau (1819-1856). Rongé par la jalousie, Othello, le général maure de Venise, assassine Desdémone dont il est aimé.
Ancienne collection Brame et Lorenceau.

« Les amours historiques : Mausole et Artémise, César et Cléopâtre, Antoine et Cléopâtre. »

Adonis, tué par un sanglier, fut ressuscité par Zeus; Orphée et Eurydice : pour obtenir le retour à la vie de son épouse tant aimée, Orphée descendit aux Enfers, affrontant de ce fait le redoutable Cerbère; Salomon et la reine de Saba; Philémon et Baucis : devenus vieux, ils accueillirent Zeus qui, pour les remercier, les sauva de la noyade et exauça leur souhait de n'être jamais séparés, les transformant en chêne et en tilleul; Ulysse et Pénélope; Éros, dieu de l'Amour, et Psyché; Lancelot du lac et Guenièvre : élevé par Viviane, la fée des eaux, le chevalier fit la conquête de Guenièvre, l'épouse du roi Arthur, se rendant par là même indigne de trouver le Graal; Tristan et Iseut; le Cid et Chimène; la Belle au bois dormant réveillée par le Prince charmant;

– les amours historiques : Mausole et Artémise. À la mort de son mari, Artémise, reine d'Halicarnasse, fit édifier un tombeau destiné à honorer la mémoire de son mari (d'où le nom de « mausolée »); César et Cléopâtre, Antoine et Cléopâtre – après le suicide d'Antoine, la reine d'Égypte se donna la mort en se laissant piquer par un aspic; Héloïse et Abélard; Isabelle de Castille et Ferdinand d'Aragon, rois d'Espagne;

« Les amours historiques : Isabelle de Castille et Ferdinand d'Aragon; Sissi et François-Joseph d'Autriche. »

Louis XIV et Mᵉˡˡᵉ de La Vallière, Louis XIV et Mᵐᵉ de Montespan, Louis XIV et Mᵐᵉ de Maintenon, qu'il épousa secrètement; Louis XV et Mᵐᵉ de Pompadour, Louis XV et Mᵐᵉ du Barry; Napoléon et Joséphine de Beauharnais; la reine Victoria et Albert de Saxe-Cobourg-Gotha; Élisabeth de Wittelsbach, Sissi pour les intimes, et François-Joseph Iᵉʳ d'Autriche; le duc de Windsor et Wallis Simpson; John et Jackie Kennedy, un amour qui a battu de l'aile, certes;

– les amours platoniques, dont le modèle demeure la princesse de Clèves, l'héroïne de Mᵐᵉ de La Fayette; Goethe aussi aima d'un amour sans espoir Charlotte Buff (*les Souffrances du jeune Werther* sont le récit,

Les amours de Mme de Pompadour, peinte ici par François Boucher (1703-1770), et de Louis XV ne furent pas sans conséquences sur la politique menée par le roi.
Collection Wallace, Londres.

La grande mystique espagnole Thérèse d'Ávila (1515-1582), par Bernin (1598-1680).
Sainte-Marie de la Victoire, Rome.

Orfeu Negro (Marcel Camus, 1959) adapte au cinéma et dans un contexte moderne le mythe antique d'Orphée amoureux d'Eurydice.

« Les amours romantiques : George Sand pour Musset, George Sand pour Chopin; Liszt et Marie d'Agoult... »

C'est secrètement que Louis Le Grand épousa en 1683 Mme de Maintenon qui l'accompagna dans ses vieux jours. Gravure de Moreau Le Jeune.
Musée Carnavalet, Paris.

sous forme épistolaire, de cette passion);

– les amours romantiques : Mme de Staël et Benjamin Constant, âmes exaltées et mélancoliques; Lou Andreas-Salomé et Nietzsche, Lou Andreas-Salomé et Rilke; George Sand pour Musset, George Sand pour Chopin; Liszt et Marie d'Agoult, avant que leur union ne dégénère; Mimi et Rodolphe dans *la Bohème,* Floria pour Mario dans *la Tosca,* Cio-Cio San pour un officier américain dans *Madame Butterfly,* trois opéras de Puccini; D'Annunzio et Eleonora Duse; Apollinaire déclarant sa passion à Louise de Coligny-Châtillon dans *Ombre de mon amour,* et Jean-Louis Trintignant à Anouk Aimée dans le film de Lelouch *Un homme et une femme* (1966);

– l'amour mystique : Thérèse d'Ávila parvenait à l'extase en adorant Dieu;

– les amours tragiques (ou qui finissent mal) : Roméo et Juliette; Othello et Desdémone; Camille Claudel et Rodin;

– les amours infernales : Faust et Marguerite; Manon Lescaut et le chevalier des Grieux; Valmont et Mme de Merteuil circonvenant la vertueuse Mme de Tourvel dans *les Liaisons dangereuses;*

– l'amour à l'eau de rose : les personnages de Delly et de Barbara Cartland, Nous Deux, le roman-photo.

Etc., tant la littérature, l'Histoire et la vie fourmillent d'anecdotes véridiques ou fantasmées.

Émotion, fragilité et tendresse dans le film de Claude Lelouch, *Un homme et une femme* (1966), avec Anouk Aimée et Jean-Louis Trintignant dans les rôles principaux.

le Film Mondial
présente

Nous Deux

l'Hebdo du Roman dessiné

Provisoirement bi-mensuel

10F

La couverture du premier numéro du magazine *Nous Deux* paru en mai 1947 : le succès populaire annoncé du roman-photo.

N° 1. — 14 MAI 1947
Retenez le n° 2 pour le 28 mai

Ci-contre : enlèvement
en automobile d'une jeune fille
par son soupirant.
Extrait du *Petit Journal*,
décembre 1902.

Parmi les folies amoureuses,
l'idée d'afficher sa passion dans sa ville.
Ici : Metz.

Folies amoureuses

Il n'est pas rare que l'amour engendre folies et extravagances en matière de cadeau, à la mesure ou à la démesure de leur auteur. C'est ainsi que le tsar Alexandre III commanda à l'orfèvre Fabergé, pour la tsarine Maria, un fabuleux œuf de Pâques. C'était alors une tradition en Russie d'offrir en cette occasion un œuf à l'être aimé, simple œuf de poule teinté de couleurs vives pour les plus modestes, œufs de verre, de bois précieux ou de porcelaine pour les plus fortunés. Mais jamais, avant cette création de 1884, un œuf de Pâques n'avait atteint un tel prix et une telle splendeur qui valut à Fabergé une renommée immédiate.

« Les stars sont abonnées aux présents ruineux et excentriques. »

Plus près de nous, on se souvient du diamant (le plus gros du monde après le célèbre « Régent » conservé au musée du Louvre) offert par Richard Burton à Liz Taylor en gage d'amour : une petite folie, direz-vous? C'est en tout cas le privilège des stars de pouvoir en faire quand ils le souhaitent. Dans le même ordre d'idées, Zizi Jeanmaire n'avait-elle pas reçu en cadeau de son époux Roland Petit une rose en ivoire incrustée d'un diamant en forme de larme? N'oublions pas non plus la fameuse voiture ornementée de cœurs rouges que Carole Lombard gara devant la porte de Clark Gable, ni l'averse de roses que Gunther Sachs fit pleuvoir sur la Madrague, la maison de Brigitte Bardot.

Comme on le voit, les stars, abonnées aux présents ruineux et excentriques, ne manquent ni d'idées ni de moyens, d'ailleurs, de réaliser les rêves que les couples anonymes se contentent d'imaginer ou qu'ils vivent en s'identifiant à leurs vedettes. Ils ne peuvent, certes, s'offrir la Rolls ou le nid d'amour sur la Côte d'Azur ou en Californie qui constituent le train-train des célébrités. On ne peut, à moins d'être une star, offrir régulièrement à sa belle une douzaine de roses.

Toutes les excentricités ne sont pas aussi coûteuses : il fut un temps où enlever sa belle était considéré comme le comble du romantisme, et lui envoyer un poème comme un gage de fidélité. On gravait deux cœurs sur un tronc d'arbre, on dessine des graffiti sur les murs ou les vitrines, on écrivait, on téléphone, mais c'est toujours l'amour...

Le Chiffre d'amour, gravure de Nicolas de Launay (XVIIIe siècle) d'après Fragonard. Bibliothèque nationale, Paris.

LES GENS

LES GENS

L'amour ne serait pas si fondamentalement vital s'il n'était espéré, incarné, vécu, nourri, dénié, rejeté, souffert par ceux qui l'éprouvent intensément. Il n'apparaîtrait tout au plus que comme une notion vague, abstraite et chimérique, un idéal privé de corps, un désir évanescent. Et l'on n'imagine guère, hormis quelques cas emblématiques, qu'un amour ne se confronte pas aux exigences de la chair, aux tentations diverses, aux problèmes prosaïques, aux affres du quotidien. Les amoureux, dit-on, sont seuls au monde. Si l'axiome vaut pour nombre de couples anonymes, il est loin d'en être de même pour les personnalités célèbres. Leurs amours, étalées au grand jour, qui confortent de ce fait même leur prestige, n'en sont que plus le jeu de facteurs extérieurs à elles-mêmes qui les exaltent, mais contribuent également à les anéantir.

L'autre, c'est justement ce qu'ont célébré les artistes : en peignant la femme aimée, en lui écrivant des lettres ou des poèmes (il s'agit le plus souvent d'hommes), en composant pour elle. La peinture abstraite n'a plus guère besoin de modèles, le portable et le répon-

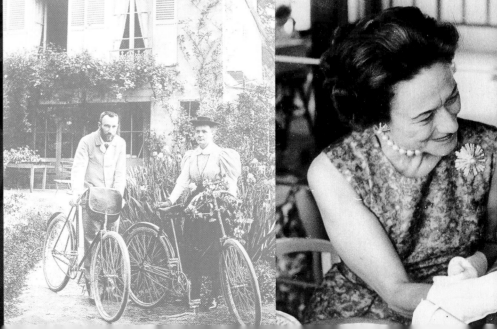

deur recueillent des déclarations d'amour laconiques, littérature et cinéma nous donnent à voir ou à lire une réalité violente où la définition de l'amour (affection vive pour quelqu'un ou quelque chose) est enterrée sous un flot de mots grossiers et d'intentions qui, souvent, le sont tout autant. Heureusement, on compose encore des chansons d'amour. C'est plus rapide à écouter qu'une sonate, ça passe à la radio et on peut les chanter à tue-tête dans la voiture en même temps que Jacques Brel ou Julien Clerc. Allons, il n'y a finalement pas de raisons de désespérer ! D'autant que, porté au pinacle ou tenu pour quantité négligeable, peu importe à l'amour : il a franchi les siècles et il en verra d'autres.

Les « gens » le célèbrent sur tous les tons, tantôt l'aimant – amoureux de l'amour–, tantôt jurant qu'on ne les y reprendra plus.

Erreur : on les y reprend, ayant oublié les tours pendables qu'il leur a joués et signant un nouveau bail. Pour figurer l'amour, voici des couples célèbres ou anonymes qui ont joué les amoureux à un moment quelconque de leur vie, pour de vrai ou pour de faux.

De gauche à droite :
Le sculpteur Pygmalion amoureux de sa statue, priant Vénus de l'animer, par Jean-Baptiste Regnault (1754-1829). Château de Versailles.
Pierre et Marie Curie sortent de leur laboratoire pour faire un peu d'exercice (1896).
Le duc et la duchesse de Windsor en 1959 à Deauville lors d'une exposition canine : le temps a passé, le bonheur reste intact.
Liz Taylor et Richard Burton dans *le Chevalier des sables* (Vincente Minnelli, 1965).
Joanne Woodward et Paul Newman : amoureux dans la vie comme au cinéma.

Ces amoureux
d'aujourd'hui se promènent
en s'épaulant l'un l'autre.

Les couples anonymes

D e quelle façon « tombe »-t-on amoureux et pourquoi cette expression qui prélude à l'amour évoque-t-elle immanquablement la chute? Il est à remarquer également que l'on « succombe » à la passion, comme si la mort n'était pas loin, que l'on devient « fou » d'amour, la raison s'envolant brusquement sous l'intensité du sentiment. Et que le « coup de foudre » ressortit du même vocabulaire, témoignant tout à la fois de l'excessive soudaineté et de l'extrême violence de l'impact.

L'amour, c'est tout d'abord une étincelle. Que l'étincelle débouche sur l'embrasement ou qu'elle fasse long feu est affaire de volonté – de deux volontés –, même si l'on a l'impression que l'on en est en l'occurrence dessaisi, et de circonstances.

On vivait pour soi, et voici que l'existence, la présence de « l'autre », change tout. Il devient irremplaçable, unique, objet de désir, fantasme et réalité à la fois. Du « je », on passe au « nous ».

Aimer, c'est tout à la fois ne plus s'appartenir et vouloir que l'autre vous appartienne, totalement et exclusivement. Ivresse? Transport? Extase? Folie? Tout ça et rien de tout ça tant on est, sur l'heure et celles qui vont suivre, incapable d'analyser ses sentiments. « Tout le monde il est beau, tout le monde il est gentil », les oiseaux chantent et la nature est en fête : ces prémices de l'amour sont plus ou moins intenses et plus ou moins identifiées. L'amoureux est convaincu de connaître l'autre avant même de le posséder. Le mariage apparaît alors comme la conclusion fatale. On a longtemps considéré que l'amour devait en être le produit. De nos jours, il en est la conséquence, ni évidente ni obligatoire. Rares sont les jeunes couples qui, même follement amoureux, même animés des meilleures intentions, pensent aujourd'hui que c'est « pour toute la vie ». Le mari de lady Chatterley, paralysé, impuissant, affirme que « ce qui compte c'est l'union de toute une vie, c'est vivre ensemble jour après jour, et non pas coucher une ou deux fois ». Ce précepte n'a plus cours : amoureux en l'an 2000, on vit l'instant et dans l'instant. Avec joie,

« Aimer, c'est tout à la fois ne plus s'appartenir et vouloir que l'autre vous appartienne. »

Peu de démonstration et beaucoup de sobriété dans cette photo de mariage 1900.

Des matelots alignés pour une parade se retournent pour voir l'un des leurs embrasser sa fiancée (1960).

Seuls, devant l'immensité de la mer : l'amour sait parfois se contenter de situations aussi simples que celle-là.

« L'amour devenant estime et confiance n'est plus une valeur cotée à la bourse des sentiments. »

intensité, en visant le futur immédiat plutôt que lointain. Le temps n'a plus la même valeur : on n'attend plus d'avoir « une situation » pour se marier. On aime, on s'épouse – ou on vit ensemble. Et l'on divorce bien plus qu'autrefois. Non pas que de nos jours les couples soient plus volages ou moins soucieux d'un projet à long terme. Mais la pression moralisatrice de la société est beaucoup moins forte que jadis. Et l'on préfère désormais se séparer que traîner, à deux, toute une vie d'échec conjugal.

Il est d'ailleurs intéressant de noter que, lorsque l'on interroge des jeunes, il apparaît que le mariage est tout autant l'intention d'unir sa vie à celle de l'être aimé que l'occasion de faire la fête avec les copains. Parfois, la fête débouche sur une vraie réussite, d'autres fois, c'est un échec. Que l'on surmonte plus ou moins bien, plus ou moins rapidement, et d'autant plus vite que passe alors un autre garçon ou une autre

Aujourd'hui, on a coupé les cheveux, les jeans sont toujours là et le bonheur avec, comme dans les années 60.

L'amour façon hippies : jeans et cheveux longs, tenues décontractées, peintures sur le corps, en un mot « *peace and love* ».

fille qui, justement, vous « tape dans l'œil » et qui vous donne envie de tout recommencer.

Séduire l'autre, se l'approprier, le garder : ces trois phases fondent le couple, « ouragan d'énergie vibrante, d'émotions, d'espoirs, de doutes, de rêves, d'enthousiasmes et de peurs… creuset incandescent où se heurtent les forces qui tendent à la fusion et celles qui tendent à l'individuation… » (1) Ne plus faire qu'un : c'est le but premier et ultime de l'amour. Le désir est inséparable du sentiment et, plus il est assouvi, plus il veut s'assouvir. Avant d'être passion, il est obsession. Dans *Lolita*, de Nabokov, le désir fou devient amour d'un adulte pour une adolescente. L'érotisme est inséparable de l'amour et, même quand il avance masqué, comme ce fut le cas au cours des siècles précédents, il ne saurait être nié. Sans lui, le couple n'est qu'une association d'intérêt, un mariage bancal, une solitude à deux qui débouche rapidement sur la tentation de l'adultère. Les couples anonymes vivent l'amour avec sincérité, parce qu'ils n'ont nul besoin d'afficher ni de galvauder leur image, encore moins de jouer un rôle. Ils vont, viennent, s'aiment, s'aiment moins, ne s'aiment plus, échangent des serments et des vœux, des injures ou des coups : tout ça se passe à l'écart des médias. Secret des cœurs et secrets d'alcôve : parfois, le secret a du bon…

(1) *Je t'aime. Tout sur la passion amoureuse* de Francesco Alberoni, Paris, Pocket, 1999.

« Ne plus faire qu'un : c'est le but premier et ultime de l'amour. »

… Poésie moderne

Elle est debout sur mes paupières
Et ses cheveux sont dans les miens,
Elle a la forme de mes mains,
Elle a la couleur de mes yeux,
Elle s'engloutit dans mon ombre
Comme une pierre sur le ciel.

Elle a toujours les yeux ouverts
Et ne me laisse pas dormir.
Ses rêves en pleine lumière
Font s'évaporer les soleils,
Me font rire, pleurer et rire,
Parler sans avoir rien à dire.

L'Amoureuse, *extrait de* Capitale de la douleur, *de Paul Eluard.*

L'AMOUR EN CARTES POSTALES

L'amour ne se satisfait pas de sa seule existence. Encore faut-il savoir l'exprimer. Avec piquant, chic et humour de préférence. Les cartes postales sont un bon exemple de ces façons, tendres ou cocasses, qu'ont les amoureux de manifester leur passion dès qu'ils s'éloignent un tant soit peu de l'objet de leur affection.

Un tête-à-tête amoureux en 1910, qui ne se passe pas qu'au-dessus de la table.

Par une fleur, l'amour peut tout traduire :
L'espoir, le charme, et l'art de nous séduire !

Tout est désir de voler au temps un peu de volupté, à la « fleur » de l'âge. Comme elle, l'amour est fragile... ne tardons pas le à saisir.

Ce couple des années 20 exprime avec ce fer à cheval son désir d'ancrer son amour dans la durée.

42

Vont-ils réellement se mettre à l'eau tous les deux ?
La barque a depuis toujours été un lieu où les amoureux
aiment se retrouver pour épancher leurs sentiments.
(Nous sommes ici en 1900.)

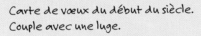

Carte de vœux du début du siècle.
Couple avec une luge.

Ce couple, vers 1910,
qui s'est mis sur son trente et un,
trinque aux amours qui ne meurent pas.

Carte postale vers 1910 : on aime partager certains
secrets que l'on ne se confie qu'entre amoureux pour
des instants de complicité.
(Le piano n'est là que pour le décor.)

Ci-dessus : l'écrivain Victor Hugo (1802-1885) qui eut pour compagne et égérie l'actrice Julienne Gauvain, dite Juliette Drouet (1806-1883), **ci-dessous.**

Les muses des peintres, écrivains et musiciens

Plus que d'autres sensibles à la beauté féminine, les artistes ont de tout temps célébré la femme, qu'ils aient été amoureux de leur modèle ou qu'ils aient désiré l'idéaliser.

Au XIIᵉ siècle, Jaufré Rudel s'adresse à la comtesse de Tripoli, sa *Princesse lointaine* :

> *De désir mon cœur est tiré*
> *Vers cette dame qu'entre tous j'aime*
> *Pour elle ai toujours soupiré*
> *Mais ne veux pas que l'on me plaigne,*
> *Car de la douleur naît la joie.*

Au XIVᵉ siècle, Pétrarque dédiera à Laure de Noves des vers désespérés. Inaccessible parce que mariée, Laure mourra de la peste noire en 1348. Et Boccace écrit en 1336 pour Marie d'Aquino, rencontrée à la cour de Robert d'Anjou dont elle était la fille naturelle, *l'Amoureux de l'amour.*

Au XVIIᵉ siècle, Molière écrit *Psyché* (en collaboration, paraît-il, avec... Corneille) :

> *Souffrez qu'Amour cette nuit vous réveille ;*
> *Par mes soupirs laissez-vous enflammer :*
> *Vous dormez trop, adorable merveille,*
> *Car c'est dormir que de ne point aimer [...]*
>
> *[...] Rendez-vous donc, ô divine Amarante,*
> *Soumettez-vous aux volontez d'Amour ;*
> *Aimez pendant que vous estes charmante,*
> *Car le temps passe et n'a point de retour.*

On sait le rôle que joua Juliette Drouet à partir de 1833 auprès de Victor Hugo, qui lui dédia une partie de son œuvre, dont *les Contemplations,* la révolution qu'apporta la comtesse Hanska dans la vie de Balzac et la fin pathétique des amours orageuses d'Alfred de Musset et de George Sand en 1835.

« Rendez-vous donc, ô divine Amarante, Soumettez-vous aux volontez d'Amour... »

Au XXᵉ siècle, Jacques Prévert célèbre *Cet amour :*

Si violent

Si fragile

Si tendre

Si désespéré [...]

[...] Si heureux

Si joyeux

Et si dérisoire [...]

[...] Et si sûr de lui [...].

Plus près de nous, Henri Pichette, écrivain français né en 1924, imagine un dialogue érotique entre *le Poète et l'Amoureuse :*

« *AMOUREUSE je me perpétuerais et toi, tel un goéland, tu me coupe-*
rais de ton aile [...] Comme je t'appartiens! [...] Tu renverses l'azur en
moi. Tu jalonnes mon ventre d'ifs tout allumés. C'est la fête. Je deviens
poreuse. Tu m'échevelles. Je t'accompagne. Nous descendons au ralenti un
escalier de pourpre [...] Tu déplies soigneusement la volupté, tu détournes
ma soif, tu me prolonges, tu me chrysalides et je suis de nouveau élue [...]
Alors je danse, je danse, je danse; comme une flamme debout sur la mer,
les paupières fermées. [...] Le plaisir est doucement douloureux [...]

POÈTE je t'imprime

AMOUREUSE je te précède

POÈTE je te vertige

AMOUREUSE et tu me recommences

POÈTE te septembre octobre novembre décembre et le temps qu'il faudra. »

À Montparnasse, au début du XXᵉ siècle, les surréalistes subliment la femme, femme-enfant ou médiatrice. Nadja, celle qu'il n'appellera d'aucun nom « pour ne pas la désobliger », marqua considérablement la vie d'André Breton qui entretenait avec elle des rapports amoureux ambigus, fondés davantage sur la séduction intellectuelle que sur l'élan qu'il éprouva successivement pour la femme de *l'Amour fou* et celle d'*Arcane 17*. En épigraphe des *Vases communicants,* il écrit : « Vous ne

Mᵐᵉ Hanska, l'épouse polonaise de Balzac (1799-1850) à partir de 1850, entretint au début avec l'écrivain français des relations essentiellement épistolaires.

De sa liaison avec le compositeur et pianiste hongrois Franz Liszt (1811-1886), à droite, l'écrivain français Marie de Flavigny, comtesse d'Agoult (1805-1876), à gauche, eut trois enfants. L'une de ses deux filles épousa Richard Wagner.

Elsa Triolet (1896-1970) fut la femme de Louis Aragon (1897-1982) qui lui voua une passion sans bornes et composa notamment pour elle un recueil lyrique en 1942, *les Yeux d'Elsa*.

« Liszt fit la connaissance de Marie d'Agoult qui rompit avec sa vie mondaine, ses amis et… son mari. »

pourrez jamais voir cette étoile comme je la voyais, vous ne comprenez pas : elle est comme le cœur d'une fleur sans cœur. »

Innombrables sont les lettres, les poèmes passionnés comme celui d'Aragon à son épouse Elsa, les déclarations et les demandes en mariage. Innombrables aussi les romans d'amour que l'on continue de publier : *Autobiographie d'un amour* (Alexandre Jardin), *Peut-on imaginer l'amour heureux* (Pierre-Yves Bourdil), *Des bleus à l'amour* (Hanif Kureishi), *Amour, Prozac et autres curiosités* (Lucia Extebarria), *les Amours de George Sand et Musset* (Bernadette Chovelon) pour ne citer que quelques-uns des derniers ouvrages parus. L'amour continue de faire recette(s).

De tout temps aussi, les musiciens ont été inspirés par des muses. Éconduit par le père de Mlle de Saint-Cricq (il n'était alors qu'un « pauvre » pianiste), Liszt fit la connaissance de Marie d'Agoult qui, rompant avec sa vie mondaine, ses amis et… son mari, exerça sur son œuvre une influence décisive, cérébrale autant que sensuelle, et lui donna trois enfants. Parmi eux, Cosima, mariée au grand pianiste et chef d'orchestre Hans von Bülow, créateur de nombreuses œuvres de Wagner, n'hésita pas à le quitter en 1863 pour rejoindre ce dernier, alors que son *Tannhaüser* venait d'essuyer un retentissant échec. Auparavant, Wagner avait composé, sous le « règne » de Mathilde, épouse d'Otto Wesendonck, *l'Or du Rhin*, *la Walkyrie* et entamé la *Tétralogie* quand, fuyant le scandale, il abandonna cette dernière œuvre pour faire part de son désespoir dans *Tristan*. La *Tétralogie* fut terminée beaucoup plus tard, auprès de Cosima.

Marié en 1840 à Clara Wieck après bien des péripéties, Schumann chante le bonheur qu'elle lui donne dans les lieder aux titres romantiques : les *Romances et Ballades*, *l'Amour et la Vie d'une femme*, les *Amours du poète*. Cette période heureuse durera dix ans, Schumann sombrant dans une dépression que seule la présence de Clara parviendra

Compositeur
allemand
devenu maître
de chapelle à
Dresde, Richard
Wagner (1813-
1883), à droite,
quitta
son pays à cause
de ses idées
révolutionnaires.
Il trouva de l'aide
notamment
auprès de Franz
Liszt dont
il épousa la fille,
Cosima,
à gauche.

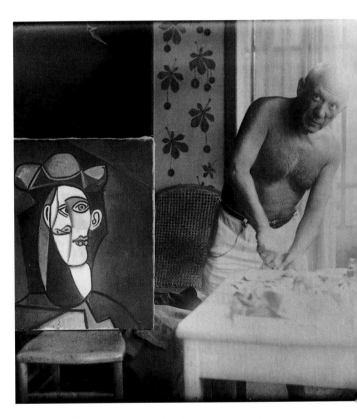

à adoucir. Mozart (1756-1791) ayant, en 1782, épousé Constance par dépit, quand sa sœur Aloysia l'eut repoussé, elle ne lui apporta que tracasseries quotidiennes et soucis d'argent. Pas plus heureux, Berlioz réussit l'exploit, après une liaison avec une coquette qui le trompait, d'épouser une tragédienne qui lui gâcha la vie et, l'ayant quittée, de se lier avec une cantatrice médiocre qui la lui gâcha encore plus.

Au contraire de ses aînés, Tchaïkovski (1840-1893) sut trouver auprès de Nadejda von Meck, qui avait déjà aidé Debussy, le réconfort dont il avait besoin après l'échec de son mariage et la révélation de ses tendances homosexuelles. Seule condition posée par la baronne aux encouragements qu'elle prodiguait à l'auteur de *Casse-Noisette* et du *Lac des cygnes :* qu'ils ne se rencontrent jamais !

« Les peintres ont besoin de la présence de leur égérie, femme aimée ou tout simplement admirée. »

Exactement le contraire de ce qui se passe pour les peintres. Ils ont, eux, besoin de la présence de leur égérie, femme aimée ou tout simplement admirée. À la Renaissance, Raphaël exaltait la beauté féminine en général, et celle de la Fornarina en particulier. Un bon siècle plus tard, Rembrandt doit à Saskia Van Uylenburgh, qu'il épouse en 1634, sa notoriété en tant que portraitiste, et Rubens à la même époque consacre à sa jeune épouse plusieurs tableaux (*Hélène Fourment, Hélène et son fils François,* 1635). Comme Bonnard, au début du XXᵉ siècle, auquel sa femme Marthe inspira *Nu à contre-jour,* Magritte qui, répondant à un questionnaire paru dans *Révolution surréaliste* en 1929, écrivait : « Tout ce que je sais de l'espoir que je mets dans l'amour, c'est qu'il n'appartient qu'à une femme de lui donner une réalité », Dalí glorifia Gala et Picasso les femmes qui l'accompagnèrent tout au long de sa vie (*Portrait d'Olga dans un fauteuil* pour Olga Koklova, *Femme qui pleure* pour Dora Maar, *Peintre et son modèle* quand il rencontra Jacqueline). Belles preuves d'amour devenues de véritables trésors que s'arrachent les musées et... les familles.

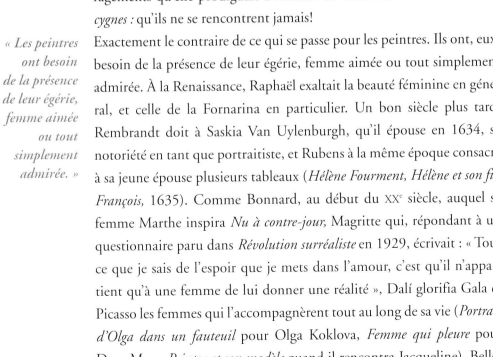

Les visages féminins métamorphosés dans l'œuvre de Pablo Picasso (1881-1973) sont sans doute le reflet de son attirance pour ces femmes qui l'ont accompagné à tous les moments de sa vie.

Joanne Woodwa▸
et Paul Newman,
photographiés ici
dans les années 5
forment depuis
toujours
un couple très bie▸
assorti qui
a su évoluer
discrètement
et durer dans
le monde très
médiatique
des « superstars »

Dans la vie comme au cinéma : les couples stars

Contrairement aux couples inconnus, les tandems célèbres ont souvent vu s'abolir la frontière ténue qui sépare la vie privée de la vie professionnelle. Le public friand d'histoires et les médias à la recherche de moyens de l'appâter en sont, chacun de leur côté, en grande partie responsables. Comme le sont elles-mêmes ces personnalités en mal de notoriété. Désormais, les couples stars se rencontrent dans tous les milieux, dans celui du cinéma comme dans la sphère politique, dans le monde de la mode aussi bien que dans celui de l'art ou de la télévision. Il est remarquable de constater que, dans cet univers où le paraître joue un rôle capital, les couples qui s'affichent le plus sont bien souvent ceux qui ont le moins de chances de perdurer. « Pour vivre heureux, vivons cachés », le vieil adage n'a rien perdu de sa force.

« Les couples qui s'affichent le plus sont bien souvent ceux qui ont le moins de chances de perdurer ».

Joanne Woodward et Paul Newman sont mariés depuis plus de quarante ans et on ne les voit à Hollywood que si c'est vraiment indispensable. Madeleine Renaud et Jean-Louis Barrault, aujourd'hui disparus, traversaient l'avenue des Champs-Élysées bras dessus, bras dessous sans que personne se retourne sur leur passage. Guilietta Masina et Federico Fellini menaient à Rome une vie discrète, loin des fastes de *la Dolce Vita*. En revanche, les acteurs, chanteurs, animateurs de tout poil et mannequins en mal de publicité n'hésitent pas à utiliser le couple comme moyen de promotion et à jouer les amoureux, le temps d'une photo, d'un reportage, d'une interview.

« Pour certains, les apparitions publiques constituent la preuve que le couple existe envers et contre tous »

Pour certains, les apparitions publiques constituent la preuve que le couple existe envers et contre tous, ballotté, bafoué ou moqué. Les Clinton en sont le plus récent et tragique exemple, et qui saura jamais si chez les Perón, qui gouvernèrent l'Argentine à deux reprises, l'amour avait réussi à garder un petit coin de paradis derrière la puissance et la gloire ?

L'amour et le pouvoir ne font guère bon ménage, le second exigeant du premier qu'il s'efface derrière ses exigences. Le duc de Windsor l'avait

Yves Montand
et Simone Signoret
en 1953, au moment
de leur vie heureuse.

Ingrid Bergman, Roberto Rossellini et leurs enfants à Paris en juin 1954. Une forme de bonheur…

Baiser passionné entre Humphrey Bogart et Lauren Bacall dans *les Passagers de la nuit* (Delmer Daves, 1947).

John et Jackie Kennedy, pris en photo en mai 1962, affichent tous les signes extérieurs de l'harmonie conjugale. La réalité, comme on le sait, est tout autre.

Le mariage « conte de fées » de Grace Kelly avec le prince Rainier en avril 1956.

Elizabeth Taylor et Richard Burton connurent une passion mouvementée, comme on n'en voit qu'au cinéma. Mariés et remariés, leur vie publique se mêlait intimement à leur vie privée. Ils sont ici les héros du *Chevalier des sables* de Vincente Minnelli en 1965.

Édith Piaf, rayonnante en mars 1948 au bras de Marcel Cerdan, ne se doute pas qu'un an plus tard son bonheur sera interrompu par la disparition accidentelle de son partenaire.

bien compris, qui abdiqua plutôt que de renoncer à la femme qu'il aimait mais dont le « profil » (il était pourtant très beau, mais nous ne parlons ici ni de son visage ni de sa silhouette) ne correspondait pas à ce que l'on attend d'une reine d'Angleterre. Pas plus que Camille Parker-Bowles ne possède les qualités que l'on exige d'une souveraine, et l'on voit bien que chacune des apparitions publiques du prince Charles en sa compagnie soulève des protestations. Derrière le cliché du couple à qui tout réussit, John et Jackie Kennedy, que de fractures, de faux-semblants, de sourires contraints!

« Derrière le cliché du couple à qui tout réussit, que de fractures, de faux-semblants, de sourires contraints! »

Il y a les couples « constitués », Elizabeth Taylor et Richard Burton qui, non contents d'être mariés et remariés, tournèrent ensemble, tout comme Yves Montand et Simone Signoret, Lauren Bacall et Humphrey Bogart. Ils n'ont pas toujours vogué sur des eaux calmes, mais ce que partageaient ces monstres sacrés, c'était une résistance à l'adversité qui crée des liens plus forts que les passions brèves et flamboyantes.

D'autres, au contraire, ont pour obligation de se montrer. Par goût. Ou par contrat. On doit les voir ensemble, jeunes, beaux, souriants – et

les gens

Jane Birkin et Serge Gainsbourg acceptent de signer quelques autographes pour leurs fans lors d'une remise des césars en 1979.

Ci-contre : Bogart et Bacall, couple phare dans le Grand Sommeil *(1946) ; ils ont indéniablement « de la classe », dans la vie comme au cinéma.*

CINÉMA
(extraits)

LB = Lauren Bacall
HB = Humphrey Bogart

HB : Vous vouliez faire quelque chose pour moi? Tournez autour de moi. Tournez. Vous ne voyez rien?
LB : Non. Aucun lien. Pas encore. (Étreinte). Ça me plaît. Sauf la barbe. Si vous vous rasiez? On pourrait encore essayer.

Le Port de l'angoisse *(1944-1945), de Howard Hawks.*

LB : Vous aimez faire des farces, n'est-ce pas? Pourquoi m'avoir arrêtée?
HB : Parce que votre père m'a engagé ou parce qu'une Sternwood m'a tapé dans l'œil.
LB : Je préfère la deuxième version.

Le Grand Sommeil *(1946), de Howard Hawks.*

« Certains amoureux protègent jalousement, voire maladivement, leur vie privée. »

prière de laisser les couteaux au vestiaire. Stars du petit et du grand écran, du rock, de la chanson, voire du sport, leurs apparitions sont souvent calculées en fonction de la sortie d'un film, d'un album, d'un spectacle. Et les atteintes à la vie privée nous ont valu quelques procès retentissants, quelques réparations financières propres à faire réfléchir nombre de paparazzi impénitents.

À côté de ces amoureux qui s'exhibent quand il le faut, où il le faut, certains protègent jalousement, voire maladivement, leur vie privée. Les Américains, référence en la matière, sont sur ce sujet moins pointilleux que les Français, même si, de temps en temps, l'un d'eux prend un coup de sang et se met aux prises avec un photographe ou un journaliste dont la curiosité ne lui revient pas. Il faut dire que certains journalistes, à la recherche du « scoop » ou de l'article à scandale, franchissent le seuil des interdits pour lesquels il existe toujours un public lecteur.

La définition du bonheur, on le voit, n'est pas la même suivant que l'on occupe ou non le devant de la scène, et il n'est pas sûr que les feux de la rampe fassent bon ménage avec l'amour.

COUPLES AU CINÉMA

Bien sûr, la vie quotidienne n'a vraiment rien à voir avec celle qu'aime à nous faire miroiter le cinéma. Ce qui n'empêche pas les moins romantiques d'entre nous d'avoir, un jour ou l'autre, rêvé de se retrouver dans les bras d'un Clark Gable, d'un Paul Newman, d'un Jean Gabin ou d'un Leonardo Di Caprio, d'une Elizabeth Taylor, d'une Michelle Pfeiffer ou d'une Kate Winslet.

Dans Autant en emporte le vent (Victor Fleming, 1939), Rhett Butler (Clark Gable) doit déployer beaucoup d'efforts pour réussir à « dompter » Scarlett O'Hara (Vivien Leigh).

L'amour entre Rose (Kate Winslet) et Jack (Leonardo Di Caprio) renverse les barrières sociales : il souffle un air de liberté dans Titanic (James Cameron, 1998).

James Mason et Sue Lyon dans Lolita de Stanley Kubrick en 1962. Adapté d'un roman érotique de Nabokov, ce film resté incompris laisse un peu sur sa faim le spectateur.

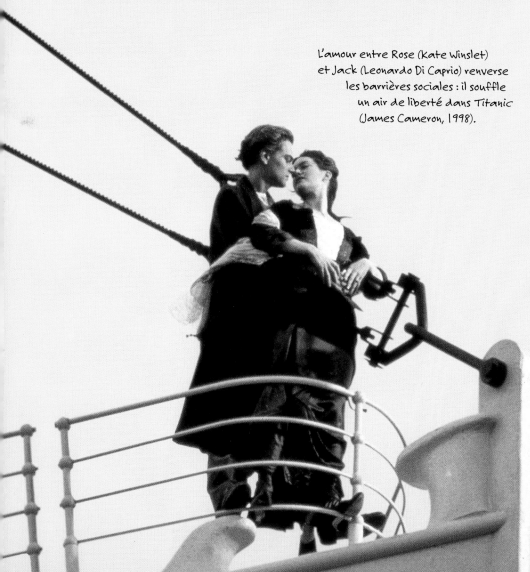

John Cassavetes et Gena Rowlands
dans la Tempête (Paul Mazursky, 1982),
s'embrassant autour d'un verre
de champagne : le grand jeu!

Dans la Bête humaine (Jean Renoir,
1938, d'après Émile Zola),
Jean Gabin tombe amoureux
de la femme d'un assassin :
derrière la noirceur du film
se dégage une superbe histoire
d'amour.

Délaissée par son mari (Paul Newman) au début du film la Chatte sur un toit
brûlant (Richard Brooks, 1958), Maggie (Liz Taylor) finira par obtenir qu'il lui
fasse le bébé qu'elle désire tant.

Amusante image d'Épinal représentant *l'Arbre d'Amour.*

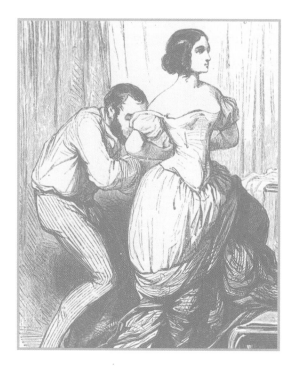

« Ah ! par exemple !
Voilà qui est bizarre !...
Ce matin, j'ai fait
un nœud à ce lacet-là,
et ce soir
il y a une rosette. »
Gravure de Paul Gavarni.

L'amant caché
dans un placard,
image classique
d'une scène
de vaudeville, genre
théâtral en vogue au
début du XXᵉ siècle.

Les amours à scandale

Les amours scandaleuses sont celles qui défient les conventions du temps, la morale en vogue, ou qui poussent leur propre logique jusqu'au crime, dit passionnel. Ces amours qui défraient la chronique acquièrent, avec le temps, valeur d'exemple, comme si leur marginalité ou leur excès même leur conféraient une aura hors du commun.

Faut-il considérer que l'esprit de vengeance, ou la jalousie portée à son paroxysme, soit une preuve d'amour? Non, d'après les criminologues et les psychiatres. C'est la peur infantile d'être abandonné qui pousse certains êtres à assassiner l'objet de leur passion. Le crime passionnel ne relève nullement de l'intensité de l'amour ni de sa qualité, mais d'insuffisances dans la constitution de la personnalité du coupable.

Gaston Calmette, ci-dessus, directeur du *Figaro*, assassiné par Mme Caillaux, ci-dessous, le 16 mars 1914.

Mascaron situé au Puy, symbolisant l'attitude éternelle du mari trompé avec l'inscription : « Ah que les cornes vont bien sur un front comme le mien. »

Parfois, l'amour devient violent.
Anthony Quinn reçoit ici
une gifle magistrale
de sa partenaire Shelley Winters
dans *Flap* (Jerry Adler, 1970).
C'est aussi ce que l'on appelle
l'amour vache.

Le poète et son double

Si tu es un homme. Avoue.
Mon ange de céruse, ta beauté
Prise en photographie par une
Explosion de magnésium

Jean Cocteau
L'Ange Heurtebise.

Jean Cocteau et Jean Marais :
des années de complicité artistique.
L'un offrit à l'autre ses plus beaux rôles
auxquels le second donna corps
et qu'il transfigura.

« Les excès qu'engendre la passion peuvent être enthousiasmants et imaginatifs. »

Sans aller jusqu'au crime, que faut-il penser de l'excès d'amour qui peut aller jusqu'à déterrer le corps de celui ou celle que l'on a aimé? C'est Guy de Maupassant qui, sous son nom de journaliste, racontait dans *Gil Blas*, en 1884, qu'un homme, jeune et brillant avocat à Béziers, avait été surpris dans un cimetière en train de mettre à nu le cercueil de sa maîtresse adorée, morte à vingt ans, et qui, pour sa défense, trouva simplement à dire : « Je l'aimais. Je l'aimais, non point d'un amour sensuel, non point d'une simple tendresse d'âme et de cœur, mais d'un amour absolu, complet, d'une passion éperdue. » Il fut acquitté.

Parmi les amours qui ont fait scandale – on a peine à l'imaginer à l'heure actuelle –, les liaisons homosexuelles ont eu une large part. Tout au moins au cours des XIXe et XXe siècles où la morale bourgeoise n'a guère accepté les idylles entre hommes ou entre femmes. Excepté peut-être chez les artistes, parce que déjà considérés par la bonne société comme des marginaux. Même lorsqu'ils eurent la notoriété d'un Proust ou d'une Colette.

Les médias se font l'écho de faits divers épiques et passionnels sur lesquels ils attirent l'attention du lecteur de journaux ou du spectateur pour crier à la victoire ou au scandale. On se souvient de l'accident qui a coûté la vie à la princesse Diana, trente-six ans, et à son ami, le milliardaire égyptien, Dodi al-Fayed, quarante-deux ans, le 31 août 1997. Ce destin tragique a suscité un grand retentissement dans le monde médiatique et dans le monde tout court. Depuis, Parisiens et touristes viennent rendre hommage au couple en déposant des fleurs sur les lieux de l'accident.

Mort à Venise (Luchino Visconti, 1971) :
un film superbe, d'après le récit de Thomas Mann, qui aborde le thème de l'homosexualité avec pudeur et un grand sens artistique.

Bonnie and Clyde (Arthur Penn, 1966). Ces deux braqueurs ont terrorisé la société américaine durant la dépression des années 30.

Les grandes amoureuses

La vie et l'œuvre de George Sand (1804-1876) évoluèrent au gré de ses passions. Parmi ses nombreux amants figurent Frédéric Chopin et Alfred de Musset.

D e Cléopâtre à Lucrèce Borgia, grandes amoureuses devant l'Éternel, les séductrices ont jalonné l'Histoire. Diane de Poitiers exerça une véritable influence sur le roi Henri II, son cadet de dix-neuf ans. Henri IV ne se remit jamais de la disparition de Gabrielle d'Estrées qu'il s'apprêtait à épouser et qui lui donna trois enfants naturels, légitimés. Quant à Mme de Pompadour, on raconte que pour séduire son royal amant (Louis XV), elle composait des brouets dans la préparation desquels entraient jaunes d'œufs, truffes, chocolat râpé ou céleri. Priée d'enfin donner un héritier au trône de Russie, la grande Catherine, elle, exigeait qu'on lui apportât du caviar au souper et le mieux bâti de ses officiers.

« Les séductrices ont jalonné l'Histoire. »

Marguerite de Valois (1553-1615), plus connue sous le nom de la reine Margot, était une dévoreuse d'hommes, et l'on dit que Joséphine de Beauharnais ne fut pas d'une fidélité absolue à un époux souvent absent pour cause de guerre. Outre Musset et Chopin, George Sand eut un mari et pas mal d'amants, sans jamais cesser d'affirmer qu'il faut « inaugurer et sanctifier l'amour, perdu et profané dans le monde ».

En ce qui concerne Mata Hari, danseuse et aventurière néerlandaise (1876-1917), comment discerner le plaisir de la nécessité parmi les nombreuses aventures qu'elle connut? Marlene Dietrich, dans l'Ange bleu (1930), séduisit des générations d'hommes... et Jean Gabin.

Quant à Marilyn Monroe (1926-1962), si elle ne fut jamais pleinement heureuse, elle s'y essaya vaillamment, accumulant des mariages et des liaisons dont aucun, cependant, ne lui apporta le bonheur. « Notre » Brigitte Bardot ne connut pas le même sort : sans doute était-elle plus douée pour la vie.

Au hit-parade des mariages, Elizabeth Taylor (sept mariages) talonne Lana Turner (huit mariages en moins de trente ans), devançant Zsa-Zsa Gabor (cinq seulement).

Les passions de toutes ces femmes scintillent de mille éclats et font briller les yeux de bien des envieuses mais finissent souvent en feu de paille.

Elle chantait que son public était sa « plus belle histoire d'amour ». Barbara, « la dame en noir », disparue en 1997, était une femme passionnée par son public, et il le lui rendait bien.

... Cléopâtre, femme fatale

Au Ier siècle avant J.-C., Antoine et Cléopâtre, amoureux l'un de l'autre, forment un couple indissociable et en même temps très critiqué à leur époque. C'est l'union d'un Romain de haut rang avec une « barbare ». Voici un extrait d'un ouvrage contemporain sur le personnage de Cléopâtre. La scène se passe à Actium lors de l'affrontement entre Octave et Antoine : « Antoine, avec ses forces barbares et ses armes de toute sorte, [...] transporte avec lui l'Égypte et les puissances de l'Orient [...], et il est suivi, ô abomination ! d'une épouse égyptienne. [...] La reine entraîne ses troupes avec le sistre* natal, et ne voit pas encore les deux serpents qui sont derrière elle. »

Extrait de L'Énéide de Virgile, d'après la traduction de Maurice Rat chez Flammarion.

* Emploi ironique d'un mot désignant un instrument religieux. Allusion à la superstition de la reine.

Image d'un destin tragique et d'une vie solitaire, Marilyn Monroe, prise en photo dans les années 50, embrasse une statue de bronze.

LES LIEUX

LES LIEUX

Dans les années 50, Georges Brassens obtint un grand succès avec sa chanson *les Amoureux des bancs publics*. À cette époque encore, il était contraire aux bonnes mœurs de s'enlacer sur les bancs, ou n'importe où ailleurs, en public. Il n'en est plus de même aujourd'hui. Du moins en Europe occidentale. Aussi peut-on affirmer qu'il n'est plus de lieux réservés pour s'embrasser et que, même s'ils sont seuls au monde, les amoureux sont chez eux partout. Il demeure toutefois de ces sites mythiques que tout couple naissant rêve de découvrir, main dans la main. Paris, Venise, Bruges, Prague, Amsterdam, Vienne, Séville... semblent des villes si bien faites pour abriter ces amours que l'on en oublierait presque qu'ici l'on vit, l'on travaille, l'on meurt et... l'on aime aussi. Comme partout ailleurs.

On verra que l'eau joue un rôle capital dans le statut qu'acquièrent les lieux d'amour : Venise et Bruges sont des villes bâties sur ou

autour de l'eau, la Petite Sirène de Copenhague voit défiler des couples venus du monde entier, le lac Majeur et le lac de Garde cultivent le romantisme à l'italienne, tout comme les temples d'amour édifiés au milieu de pièces d'eau, les canaux fleuris d'Amsterdam ou les quais de la Seine à Paris.

Et les bateaux aussi, simple canot, bateau-mouche ou paquebot – tous ne finissent pas aussi tragiquement que le *Titanic* –, sont des lieux de prédilection pour ceux qui, pour quelques heures ou quelques semaines, larguent les amarres et voguent en plein bonheur.

L'eau reflète un couple enlacé, le nimbe d'un halo, d'un reflet qui gomme les contours de la réalité pour la transformer en un rêve impalpable et accessible à la fois. Célèbres ou anonymes, voire intimes, les endroits d'amour sont innombrables et aussi divers que l'amour lui-même. Du Grand Canal à une chambre d'hôtel, du château de Malmaison à une porte cochère. Mais il est des lieux prestigieux où l'amour proclame haut et fort ses droits à exister.

De gauche à droite :
un temple d'amour dans les jardins de Versailles.
Sieste au soleil à bord d'une gondole vénitienne.
Amoureux s'étreignant sur les quais à Paris (1958).
Bal populaire au *Moulin de la Galette* à Montmartre par Auguste Renoir (1841-1919).
Musée d'Orsay.
Le paquebot du roi Fahd emmène ses passagers pour une croisière de rêve et d'évasion.
L'île de Sainte-Lucie dans les Antilles, sous les parasols et les palmiers.

Autour du monde : les grands classiques

Ci-dessus : les Belges ont, eux aussi, leur cadre de rêve avec Bruges, la « Venise du Nord ». **Ci-contre :** en Inde, le Tadj Mahall d'Agra, magnifique réalisation du XVIIᵉ siècle d'un empereur pour son épouse décédée.

L'amour oscille entre rêves et mythes, évidences et réalités. Il aspire à les vivre dans des lieux fantasmés qui, plus que tout, lui permettront de s'incarner dans le réel. Et si le plus prosaïque de ces endroits peut se transmuer en havre insolite et paradisiaque, il en est d'autres qui parlent à tous.

Le plus incontesté de ces sites, aux yeux des Européens, est bien entendu Venise, admirable rêve de pierre et d'eau, modèle inimitable cher aux cœurs épris, avec son Grand Canal où glissent les gondoles, ses somptueux palais d'un autre âge, ses ponts minuscules, ses ruelles qu'entrecoupent des escaliers patinés par le temps, ses églises qu'ont ornemen-

tées les plus grands peintres, ses places intimes et paisibles, ses chats indolents, ses statues, ses cafés, les pigeons de la place Saint-Marc, ses habitants et des hôtes qui la célébrèrent à l'envi. Le *Danieli* bruit encore des amours tumultueuses d'Alfred de Musset et de George Sand et le Lido de l'émouvante passion sans espoir d'un homme vieillissant que transfigura Thomas Mann dans *la Mort à Venise*.

Surnommée « la Venise du Nord », Bruges aussi offre aux amoureux des canaux et un lac d'Amour, des ruelles pavées et des jardins fleuris. À Vienne où plane encore l'ombre de Sissi, des calèches attelées de chevaux blancs font faire aux amoureux la traditionnelle promenade sur le

Ci-dessus : le soleil se couche sur Venise, prélude aux nocturnes promenades en gondole qu'affectionnent les amoureux.
Ci-contre : le pont des Soupirs, qui attire tant les amants, doit pourtant son nom aux condamnés que l'on emmenait jadis par là de la prison à la salle des tortures.

Une promenade en gondole
glissant silencieusement
sur l'eau des canaux est
l'un des moments forts
d'un séjour à Venise.

La nuit, Venise est un
lieu envoûtant, propice
aux amours, et la
lumière accroît encore
la magie des lieux.

On rêve encore,
à Vienne, devant
le château de
Schönbrunn qui abrita
les amours d'Élisabeth
– la Sissi de légende –
et de son époux
François-Joseph Ier,
empereur d'Autriche
de 1848 à 1916.

À Paris, on
s'enthousiasme devant
les splendeurs
de la ville admirées
depuis un bateau-
mouche.
Notre-Dame veille
« religieusement »
sur les amoureux
des quais.

Ring, et si l'on ne donne plus guère de bals au château de Schönbrunn, il n'est pas une femme qui n'ait fantasmé au son d'une valse de Vienne et qui ne se soit imaginée dansant avec l'homme de ses rêves, à défaut de l'homme de sa vie.

« À Prague, on s'embrasse devant la statue du poète Mácha, auteur d'une Ode à la passion. »

D'autres villes européennes sont tout aussi hospitalières à ceux qui font serment de s'aimer toujours : à Prague, on s'embrasse devant la statue du poète Mácha, auteur d'une *Ode à la passion,* et à Copenhague, on essuie une larme en passant devant la Petite Sirène des *Contes* d'Andersen, qui mourut d'avoir trop aimé son beau prince.

Fi des brumes du Nord à Séville, où l'on oubliera les mortifications de la semaine sainte pour admirer les beautés de l'architecture. Destination quasi obligatoire pour les jeunes mariés espagnols, même si, là comme ailleurs, le mariage a quelque peu perdu de son exemplarité. Mais les jardins ont gardé le même pouvoir de séduction et de rêverie.

À l'autre bout du monde, les chutes du Niagara, situées pour moitié aux États-Unis et pour l'autre moitié au Canada, voient défiler les couples en voyage de noces. Les villes jumelées de Niagara Falls sont d'ailleurs connues sous le nom de *« Honeymoon Cities »* ; et l'une des chutes est appelée « chute du Voile nuptial ». Tout un programme...

Ci-dessus : depuis 1913 à Copenhague, la Petite Sirène, tournée vers la mer, rappelle au passant l'émouvant conte d'Andersen. Les amoureux lui adressent une pensée mélancolique.

Ci-contre : Dès le début du XXᵉ siècle, la Côte d'Azur fut le refuge des riches amoureux en mal d'un cadre somptueux pour abriter leurs idylles.

Un autre bout du monde célèbre le culte de l'amour : le Tadj Mahall, le palais construit par l'empereur Chah Djahan, pour honorer l'« élue du palais », sa préférée parmi les multiples épouses que lui autorisait sa religion (musulmane), qui devait mourir en mettant au monde son quatorzième enfant.

Fou de douleur, l'empereur fit alors venir des architectes du monde entier afin d'ériger, à Agra, dans le nord de l'Inde, ce somptueux mausolée de marbre blanc. La construction dura de 1630 à 1652, et le temps ayant manqué à l'empereur pour faire édifier le même monument en marbre noir, il fut enterré auprès de la femme qu'il avait tant aimée.

Au Rajasthan (Inde du Nord), nombre des palais ayant appartenu à des

À gauche :
les chutes
impressionnantes
du Niagara,
séparant
le Canada
et les États-Unis,
constituent un
lieu idéal pour
ceux qui veulent
graver dans leur
mémoire
le souvenir de leur
voyage de noces.

À droite :
le cœur
de la vieille cité
de Bruges, avec
son beffroi
et son quai
du Rosaire, fait
l'unanimité.
Tant auprès
des amoureux
pour ce cadre
romantique à
souhait que des
amateurs d'art
qui sont, eux
aussi, à la fête.

Ci-contre :
Saint-Barthélemy –
une île de
la Guadeloupe –,
jadis paradis pour
milliardaires avec
des plages qui sont
les plus belles
des Caraïbes, s'ouvre
maintenant aux
amoureux du monde
entier. Les initiés
disent Saint-Barth.

On passe le pont
à Venise et l'on
se retrouve à l'hôtel
Danieli, qui abrita
bien des amours
célèbres.

« Les îles sont
des refuges
idéals
pour ceux
qui s'aiment. »

maharadjahs ont été transformés en hôtels qui proposent, notamment à Jaipur, la ville rose, des chambres raffinées « spécial nuit de noces ».

Paris demeure un lieu privilégié pour les amoureux de tout bord. Ville Lumière qui allume des étincelles dans les yeux de ceux qui s'aiment et qui la découvrent depuis la tour Eiffel ou la tour Montparnasse, un bateau-mouche ou un simple autobus. Jeunes et vieux couples y célèbrent de vraies ou de fausses noces, des anniversaires de mariage ou de rencontre, des amours naissantes ou installées. Les plaisirs y sont nombreux… et variés, depuis les cabarets de Pigalle (certains à déconseiller aux jeunes mariées rougissantes, si toutefois il en existe encore) jusqu'au romantique parc Montsouris en passant par la place des Vosges et le bar du *Ritz.* Mais on ne saurait compter que sur Paris. Depuis longtemps, la Côte d'Azur n'est plus réservée aux seuls milliardaires, et à Biarritz, la Chambre d'amour continue de faire fantasmer garçons et filles. Les îles sont évidemment des refuges idéals pour ceux qui s'aiment.

Loin du monde, croient-ils, et libres de le rejoindre quand « eux », et non les autres, l'auront décidé. Avec ses lagons aux eaux turquoise, l'île Maurice, fictive patrie de Paul et Virginie, Malte, Saint-Martin et Saint-Barthélemy surfent actuellement sur la crête du succès. Le sable blanc, les cocotiers, la végétation exubérante « entretiennent » les amours naissantes, les parfums et les plats épicés invitent à l'érotisme.

C'est d'érotisme aussi, donc d'amour, que l'on rêve à bord du célébrissime Orient-Express. Départ gare de l'Est (c'est le moment le moins romantique), détour par le Tyrol autrichien et par Innsbruck avant d'atteindre Venise, évidemment, au petit matin. C'est cher, mais le décor Art nouveau mérite un sacrifice, et l'on peut toujours inscrire ce Paris-

Comme toutes
les villes que
parcourent
des canaux,
Amsterdam plaît
aux amoureux,
sensibles
à l'atmosphère
féerique qui
sourd de ses
chemins d'eau.

Ci-dessous :
la baie
de Saint-Jean,
aux Antilles,
permet
aux amoureux
de lézarder
sur la plage
en se faisant
dorer au soleil.

La superbe place
d'Espagne à Séville
enchante
les amoureux
amateurs des arts
arabe et baroque.

Dans le Tyrol, la ville d'Innsbruck,
proche des stations de ski en montagne,
est le lieu idéal pour un voyage de noces
en hiver.

À gauche : l'île de Capri, dans le golfe de Naples, offre aux amoureux des rivages escarpés ou creusés de grottes où il fait bon s'aventurer.

Venise d'un type un peu particulier sur sa liste de mariage. Il est d'ailleurs à noter que les voyages figurent désormais en bonne place sur les listes déposées dans les grands magasins, avant l'argenterie et le service à thé. Les lacs italiens demeurent une destination privilégiée pour les couples en mal de romantisme. Au pied des Dolomites, le lac de Garde se souvient de Gabriele D'Annunzio qui s'y fit bâtir une somptueuse demeure ; Stresa la magnifique et les îles Borromées opèrent toujours la même magie sur les jeunes et les moins jeunes mariés qui rêvent devant les terrasses suspendues, croulant sous les fleurs. Poussant jusqu'à Côme, ils flâneront à Bellagio (« Comment peindre cette émotion ? Il faut aimer et être malheureux », écrivait Stendhal à propos de ce village où planent aussi les ombres de Sissi, décidément infatigable voyageuse, et de Liszt) et s'offriront, sinon une nuit, du moins un thé, à la villa d'Este, ex-résidence des cardinaux et des souverains qui avaient tout à la fois bon goût et des moyens. Pour ceux qui préfèrent la luxuriance à la nostalgie, pas d'hésitation : Capri et sa mer immanquablement bleu azur. Mais le voyage de noces le plus insolite, le plus court et l'un des moins chers est probablement celui que l'on fait à bord d'une montgolfière. Survol de la Bourgogne ou du Val de Loire plus nuit et dîner : de quoi se fabriquer des souvenirs pour une vie.

Qu'ils partent en voyage de noces vers des stations à la mode ou dans un lieu retiré, les Américains ont l'habitude d'exprimer, jusque sur leur voiture, la joie de s'être mariés. « *Just married* » proclame ce couple en Pontiac.

Couple en bateau vers 1900.

L'hôtel *Crillon* à Paris est réputé pour ses suites extraordinaires. Ici, un petit salon donnant sur une terrasse extérieure. Le champagne est prêt, les fauteuils nous tendent les bras : de quoi passer un bon moment.

Les séjours cachés

Le secret est l'une des composantes de l'amour. Aux yeux de chacun le mystère de l'autre reste entier, du moins pour quelque temps. Avant que le sentiment lui-même ne s'affermisse ou ne s'évanouisse brusquement, de façon aussi inattendue que le coup de foudre qui l'avait fait naître.

« L'étape du secret est indispensable dans « l'installation » du couple. »

Cette étape du secret est indispensable dans « l'installation » du couple. Elle débouche très logiquement sur des rencontres et des rendez-vous. C'est ce que l'on appelait jadis « apprendre à se connaître », qui est une autre étape que l'on développe et prolonge par des projets d'avenir – et qu'on gomme carrément si la relation est l'affaire d'un soir ou de quelques jours. Dans une situation comme dans l'autre, on oublie l'extérieur – famille, copains, relations en tout genre – pour se replier sur et avec l'être aimé. On a besoin sinon de solitude, du moins d'intimité. Ce n'est pas encore la chaleur du nid, ce n'est déjà plus l'indifférence, l'hostilité ou l'approbation de l'entourage. On n'en est pas encore à se montrer

Il n'est pas besoin pour être heureux d'arpenter les lieux célèbres ou à la mode. La moindre plage, la moindre dune peuvent abriter les couples amoureux.

Le Grand Canal de Versailles abrite lui aussi ses amoureux. Ici, ils se sont endormis au soleil.

Ci-dessus : le bar de l'hôtel *Danieli* offre à ses clients un confort chaleureux. Il est vrai qu'il fut autrefois l'un des plus luxueux palais de Venise.

À droite : vue intérieure d'un temple, dans les jardins du parc royal de Versailles, avec l'Amour bandant son arc dans la massue d'Hercule.

À gauche : l'amour triomphe toujours dans les tableaux de Jean Cotelle (peintre sous Louis XIV). Devant trois fontaines à Versailles, des chérubins entourent des jeunes filles qui tressent des couronnes.

« au grand jour ». On savoure l'autre, son cœur et son corps, on rit et vit à deux. Les débuts de la passion sont un repliement sur soi-même, le partenaire devenant une part de soi, un refus du monde extérieur.

Les amoureux doivent se réserver des « lieux intimes », le plus souvent anonymes. Ils peuvent être symboliques comme l'est un banc public, un temple d'amour ou la rive d'un lac – on se souvient de celui du Bourget que célébra Lamartine…

> « Ô temps suspends ton vol
> Et vous heures propices
> Suspendez votre cours
> Laissez-nous savourer les rapides délices
> Des plus beaux de nos jours »

ou neutre comme une voiture ou une chambre d'hôtel (« Ils sont arrivés, se tenant par la main, l'air émerveillé de deux chérubins » chantait Édith Piaf). Dès lors que nous ressemblons à des chérubins, ne serait-ce qu'un instant, aucun lieu n'est plus anonyme, quand c'est la première fois que l'on y fait l'amour.

Le « vert paradis des amours enfantines »

Cela commence comme une comptine : on a quatre, cinq ou six ans et l'on est amoureux. Joies et chagrins sont importants à cet âge-là. Plus tard, l'amour sera vécu avec intensité, dans l'urgence la plus absolue, l'irrésolution sans remède, le bonheur sans mélange et la plus noire adversité. Rien n'est jamais simple à l'adolescence.

Le « vert paradis des amours enfantines » n'est pas toujours aussi vert qu'il y paraît et, au fur et à mesure que l'on grandit, il passe par toutes les couleurs de l'arc-en-ciel.

Pourtant, le premier amour vous change à jamais, il reste en vous et avec vous éternellement. Les amours d'enfance et d'adolescence prennent une autre tonalité, et c'est alors que l'on commence à se préoccuper des lieux où les abriter. De nos jours, nombre d'adolescents amènent à la maison le copain ou la copine, et les parents ferment les yeux si le copain ou la copine en question dort sous leur toit. Et n'oublions pas qu'il n'y a pas si longtemps que les papiers d'identité ne sont plus exigés par les hôtels (d'autres pays européens les demandent encore) et que la majorité est fixée à dix-huit ans.

Pour s'aimer, il fallait donc ruser, trouver une botte de foin accueillante, ou la cabane au fond du jardin à la campagne, une grotte ou une plage indiquée par un ami compatissant, une impasse discrète ou le couloir d'un immeuble peu fréquenté quand on habitait en ville. Ce que l'on conquiert difficilement ayant toujours plus d'intérêt que ce qui est proposé sur un plateau, il n'est pas sûr que cette ère du secret, où l'on recherchait des lieux où vivre son amour à l'abri du regard des autres, n'était pas un garant de durée, voire d'éternité.

À se fier aux statistiques et à la mémoire, on pourrait répondre oui. Rien ne vaudra jamais le récit que faisait mon grand-père à ses petits-enfants devenus grands de la première fois où il avait conté fleurette à ma grand-mère au détour d'un petit chemin…

Mais chut… ce sont là des secrets de famille, Ernest et Bernardine auraient détesté qu'on le raconte à tout le monde !

« Le premier amour vous change à jamais, il reste en vous et avec vous éternellement. »

Étreinte au milieu des foins, par Eugène Léon Labitte (1858-1937).

Deux jeunes qui flirtent, au sortir du lycée. Les amours adolescentes, souvent changeantes, laissent parfois de grands souvenirs.

Entre deux cours
ou à la sortie,
c'est le moment
de la liberté :
le garçon chuchote
à l'oreille
de son amie.

Quand l'amour n'a plus
de secrets, on se promène
ensemble dans la rue, comme
ce couple complice autour
d'un réverbère.

Les lieux publics

Une fois sûrs de la réciprocité de leurs sentiments, les amoureux émergent au grand jour. On ne peut rester indéfiniment caché. Ils renouent alors avec leur entourage, les amis qu'ils ont un temps négligés, la famille à qui il faudra bien, un jour ou l'autre, présenter l'élu(e). C'est à ce moment-là que l'on se promène main dans la main, que l'on s'embrasse sans vergogne aux terrasses des cafés. L'on ose enfin exposer son amour aux yeux de tous. L'étape est cruciale qui fait d'un bonheur secret une bonne fortune de notoriété publique. Elle prélude souvent à la transformation d'un duo d'amoureux en un couple établi ou en voie de l'être.

« La pudeur n'étant plus un carcan, on s'enlace et on s'embrasse en public. »

Un lieu public est-il le contraire d'un lieu privé, intime ? En matière d'amour, certes pas. Il est plutôt sa suite logique, son complément. Après s'être coupé du monde, on y revient. On lui revient. On va travailler ensemble, on se balade, on sort, on cherche un appartement. On échange des mots doux et, après les chuchotements, on parle à haute et intelligible voix. Nous avons tous rencontré des couples dont la tendresse et la complicité nous ont émus… ou impatientés. Le bonheur des autres n'est pas si facile à admettre. Il arrive même qu'on les jalouse un peu – cette blonde à la silhouette de rêve, ce grand garçon, digne sosie de Tom Cruise, qui la couve si intensément du regard – quand ils lèvent la tête vers la grande roue du jardin des Tuileries ou qu'ils s'embrassent à bouche que veux-tu à la terrasse d'un café. La notion de pudeur ayant considérablement évolué – le temps n'est pas loin, et il paraît pourtant terriblement lointain, où, dans des pays proches du nôtre, l'Italie et l'Espagne pour ne pas les nommer, les policiers rappelaient à l'ordre les amoureux qui se livraient à des effusions jugées intempestives. La pudeur donc n'étant plus un carcan, on s'enlace et on s'embrasse en public, on s'engueule et on se réconcilie, on prend les autres à témoin, voire les parages tout entiers.

« Nous avons tous rencontré des couples dont la tendresse et la complicité nous ont émus. »

Et, signe des temps, les filles n'hésitent plus à faire des propositions aux garçons quand elles trouvent que, décidément, ils sont vraiment trop timorés.

La vue sur la tour Eiffel
depuis le Trocadéro est
un but de promenade
cher aux amoureux.

Ci-dessus : on prend le temps de vivre dans cette guinguette parisienne des années 30, dans l'atmosphère du Front populaire et des congés payés.

Qu'est-ce que l'on est bien à lézarder ensemble sur le pont des Arts, à Paris, à deux pas du palais du Louvre !

Tous les amoureux du monde semblent apprécier plus que tout les bancs publics pour se manifester leurs sentiments. Ici, en Arménie, par temps de neige, le baiser vient réchauffer et les corps, et les cœurs.

Ci-dessus : depuis que les existentialistes ont lancé Saint-Germain-des-Prés, le *Flore* est devenu, à Paris, l'un des hauts lieux où il est bon de se faire voir. Ce qui n'empêche nullement les amoureux de s'y conter fleurette.

Ci-dessous : les quais de la Seine, à Paris, du Pont-Neuf à l'île Saint-Louis, sont un paradis pour les âmes romantiques en quête de solitude.

Certes, on ne grave plus guère le nom de l'être aimé, à côté du sien, sur un tronc d'arbre, mais on continue de visiter à deux à Paris le Sacré-Cœur, la tour Eiffel et le musée Grévin, de descendre les Champs-Élysées, de faire escale dans les bars branchés.

Depuis un bateau-mouche, on découvre une ville à nulle autre pareille. On prend un verre à la terrasse des *Deux Magots* ou à celle du *Flore* en songeant aux existentialistes. On fait du shopping avenue Montaigne ou, moins onéreusement, dans les Grands Magasins et les petites boutiques des Halles. On reprend haleine au jardin du Luxembourg ou place des Vosges. En bref, on flâne à Paris, et c'est déjà le bonheur.

Il est d'autres lieux magiques que les amoureux prennent plaisir à découvrir, de Versailles à Monte-Carlo en passant par l'Alsace et Courchevel, le Béarn et la Gascogne. La France, première destination touristique, n'a pas cependant le monopole des lieux où l'on s'attarde volontiers. S'ils aiment voyager et découvrir, les amoureux n'ont pas toujours besoin de lieux célèbres pour se fabriquer des souvenirs : un banc public, un

«Depuis un bateau-mouche, on découvre une ville à nulle autre pareille. »

Ci-dessus : en Angleterre aussi, on apprécie les portes cochères comme abri pour s'embrasser.
À droite : le Sacré-Cœur, à Montmartre, offre un cadre agréable aux amoureux à Paris.

« Les amoureux n'ont plus besoin de se cacher pour s'aimer. »

square, le métro, une porte cochère leur suffit. Et, à défaut de dîner au *Grand Véfour* ou chez *Maxim's* comme à la Belle Époque, ils s'embrassent entre deux bouchées de hamburger, perchés sur des tabourets de fast-food, ou dans la rue, casque de moto dans une main, cigarette dans l'autre. « Les amoureux sont seuls au monde », et le monde a beau n'être pas toujours bienveillant, si vous saviez comme ils s'en moquent !... Ils n'ont plus besoin de se cacher pour s'aimer, plus besoin de la bénédiction du maire ni de celle du curé ; quant à l'accord parental, s'il demeure souhaitable, ils s'en passent aisément. Eux veulent juste se voir, se regarder, se toucher, s'aimer, se rassurer, et alors peu importe l'endroit où ça se passe.

D'ailleurs, le monde ne les effraie pas tant ; la plupart du temps, ils sont sûrs de leur fait et de leurs sentiments. Amour-toujours est une pièce qu'ils jouent volontiers en public.

L'objectif, bien dissimulé, n'a pas manqué la vue plongeante sur ce couple des bancs publics en bord de Seine (vers 1946).

LES MANIFESTATIONS
DE L'AMOUR

LES MANIFESTATIONS DE L'AMOUR

L'amour ne vit, ne s'affirme véritablement que s'il a tout loisir de se manifester. Un regard appuyé, un serrement ou le baiser d'une main suffisaient il y a peu à exprimer toute la fougue de sa flamme. Nous sommes de nos jours beaucoup plus démonstratifs, plus exigeants quant aux élans du cœur et du corps. Les plus timorés, les plus gauches d'entre nous ne sauraient se passer d'étreintes, ni de baisers. Passionnés. Et les longues continences ne sont plus de mise dans nos mœurs occidentales, la fusion des corps, le plaisir sensuel ayant, depuis deux ou trois décennies, droit de cité dès les premiers balbutiements de la passion. Mots pour le dire, gestes pour le faire sont désormais, sans entraves, à l'ordre du jour.

Tout amour ne naît pas d'un coup de foudre. Il n'arrive pas à tout le monde d'être victime ou heureux bénéficiaire de cet ouragan qui provoque des réactions physiologiques et sensorielles telles qu'elles peuvent aller jusqu'au tremblement, à une impression de grand froid suivie d'une sensation de chaleur extrême, aux débordements verbaux ou gestuels.
D'autres amours sont plus calmes, voire raisonnées ou provoquées.

Les « manifestations » varient en conséquence : exubérantes ou affectées, rares ou nombreuses, jugées déplacées ou touchantes par l'entourage, délicieuses et savoureuses par qui les reçoit.

Si l'on devait ne choisir qu'un seul symbole à l'amour, le baiser recueillerait à coup sûr tous les suffrages – et ce n'est pas pour rien qu'il est devenu verbe, donc action, celle de faire l'amour, de s'unir et se fondre dans l'autre. Ainsi l'amour raffole des manifestations en tout genre, tout étant prétexte aux amoureux pour extérioriser leurs sentiments. Mots d'amour les plus fous, billets doux, messages téléphoniques, cadeaux symboliques… l'imagination semble sans bornes aux amants d'un jour ou de toujours. Il n'est jusqu'à la Saint-Valentin qui ne cristallise tous les mouvements du cœur.

Aujourd'hui où le formalisme, le poids des conventions sociales sont moins pesants que par le passé, le mariage n'est plus une fin en soi. Il n'est que la concrétisation officielle d'un amour partagé, l'expression affirmée d'une volonté commune de faire un bout de chemin ensemble, voire une excellente occasion de faire la fête. Mais l'amour revêt désormais les formes les plus diverses, les plus contradictoires. On se marie ou non, mais c'est toujours une union pour le meilleur et pour le pire.

De gauche à droite : couple de cinéma s'étreignant dans un remake récent des *Ailes de la colombe* (Iain Softley, 1997). Comme amoureux transis, on ne fait pas mieux ! Variations sur les amoureux des cartes postales d'avant 1914. Le langage des baisers : carte postale rétro des années 20. C'est en tenue occidentale qu'apparaissent ici le futur empereur du Japon et sa femme, lors de leur mariage en 1993. Carte anglaise de la Saint-Valentin ou comment réparer un cœur brisé avec du sparadrap. *Un Américain à Paris* (Vincente Minnelli, 1951) avec Gene Kelly et Leslie Caron.

LES OBJETS DE L'AMOUR

Sans tomber dans le fétichisme,
les amoureux, de tout temps et en tout
lieu, se sont offerts des présents.
De l'objet sorti de leurs mains aux pièces
inestimables, de la carte illustrée aux
bijoux précieux. C'est l'amour seul
qui fait le prix du moindre petit rien.

Ce couple est bien
caractéristique des
années 30. Et si les
tenues font montre
d'une belle liberté,
les gestes amoureux
semblent bien anodins
aujourd'hui.

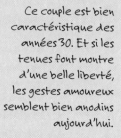

Jeune femme à demi
nue sur un tertre
tenant un cœur
transpercé d'une flèche.
Assiette, majolique de
Faenza (Italie) vers 1500-1510.
Bonne pioche...
Musée national de la Renaissance, Écouen.

« Ne donne un
baiser, ma belle,
que la bague
au doigt. »
(Faust, Gounod.)
Surtout si, comme
celle-ci, elle est
richement sertie
d'une émeraude
et de nombreux
diamants.

Les Saisons de l'amour.
Printemps : amour naissant ;
été : amour ardent ;
automne : amour passionné ;
hiver : amour sincère.
Cette carte postale
délicieusement mièvre et bien
représentative de l'entre-deux-
guerres.

Le Langage des yeux.
Miroir de l'âme et du cœur.
Carte postale d'avant 1914.

La boîte de chocolats, pour
ne pas arriver les mains
vides.

LES OBJETS DE L'AMOUR

Le Langage des fleurs. À l'usage des timides.
Carte postale de l'entre-deux-guerres.

Le Fuseau de la châtelaine permet au chevalier déguisé en berger de faire sa cour à sa dame. Lithographie de Saint-Aulaire d'après Déveria (Moyen Âge).

Cette carte postale datant des années 20 illustre la *Chanson du cœur* dans tous ses états.

Cabinet d'époque Henri II à onze
tiroirs avec, au centre,
la Fontaine d'amour.
Musée national de la Renaissance, Écouen.

« Les diamants sont
mes meilleurs amis »,
chantait Marilyn Monroe
en 1953 dans Les hommes
préfèrent les blondes,
un film de Howard Hawks.

Le bouquet de roses est garant
d'un amour tendre et sincère
lorsque la couleur en est
rose, comme ici.

95

LE LANGAGE DES FLEURS

Les fleurs, pour innocentes
qu'elles soient, ont un langage.
Il suffit de prêter l'oreille pour
entendre ce qu'elles nous disent,
et ce qu'elles vont transmettre
à la personne à qui on les destine.
Pas plus que l'on n'offrira des roses
rouges à une très jeune fille,
on n'enverra un pot de bruyère
à la femme que l'on espère épouser.

Bouquet composé essentiellement
de roses blanches pour manifester à celle
que l'on aime son amour sincère
et exalter sa beauté.

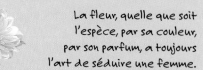

La fleur, quelle que soit
l'espèce, par sa couleur,
par son parfum, a toujours
l'art de séduire une femme.

Composition florale de
roses orange : l'orange, mélange
de rouge et de jaune, propose
une signification en demi-teinte.
C'est le genre de bouquet que l'on offre
à une femme que l'on ne connaît pas encore
tout à fait bien et à laquelle on veut
exprimer son respect.

Le dégradé de couleur
rose dans ce riche bouquet
dévoile toute la délicatesse
du sentiment amoureux.

À l'occasion de commandes pour des mariages, les fleuristes peuvent laisser libre cours à leur imagination.

Cette harmonie de rose et de jaune traduit la valeur d'un sentiment pur et qui se laisse à peine entrevoir.

Petit dictionnaire fleuri

ANÉMONE	Oubli	HÉLIOTROPE	Dévotion, fidélité	ŒILLET	Caprice, dédain
ASTER	Raffinement, élégance	IRIS	Promesse	ŒILLET D'INDE	Jalousie
AZALÉE	Passion fragile	JACINTHE	Beauté physique	ORCHIDÉE	Amour, beauté, raffinement
BOUTON DE ROSE	Jeune amour	JASMIN	Amabilité, gaieté	PÂQUERETTE	Innocence
BRUYÈRE	Solitude	JONQUILLE	Désir, amitié ardente	PENSÉE	Affection
CAMÉLIA	Admiration, perfection	LAVANDE	Méfiance	PIVOINE	Timidité
CAMPANULE	Gratitude	LIERRE	Amitié	POIS DE SENTEUR	Absence
CAPUCINE	Conquête, victoire	LILAS	Premier amour	PRIMEVÈRE	Inconstance, amour volage
CHÈVREFEUILLE	Ambition	LIS	Pureté du cœur, virginité	ROSE BLANCHE	Amour, beauté, sincérité
COQUELICOT	Souvenir	MAGNOLIA	Amour de la nature	ROSE JAUNE	Jalousie
CROCUS	Attachement	MARGUERITE	Innocence, douceur, discrétion	ROSE ROSE	Amour tendre
DAHLIA	Instabilité, tricherie	MIMOSA	Sensibilité à fleur de peau	ROSE ROUGE	Amour ardent
EDELWEISS	Persévérance	MUFLIER	Désespoir	TULIPE	Déclaration d'amour
FUCHSIA	Grâce	MUGUET	Tendresse, humilité	VIOLETTE	Modestie, fidélité
GARDÉNIA	Amour secret	MYOSOTIS	Amour vrai		
GÉRANIUM	Mélancolie	NARCISSE	Considération		
GLAÏEUL	Combativité	NÉNUPHAR	Pureté du cœur		

Les hésitants peuvent évidemment commander des bouquets composés, qui traduiront la complexité, l'évolution ou l'aboutissement de leurs sentiments...

La Saint-Valentin

Qui est donc ce Valentin que célèbrent à présent les amoureux ? Peut-être un prêtre romain du IIIe siècle qui, en dépit de l'interdiction faite par l'empereur Claude II le Gothique d'unir de très jeunes gens – de peur que le garçon ne se soustraie ainsi à ses obligations militaires –, en maria un couple en secret. En raison de ce fait, il aurait été décapité, et la commémoration de ce martyre fixée au 14 février. Il n'est pas innocent de constater que ce saint des amours est honoré aux alentours de Carnaval et de l'ancienne tradition des Brandons qui marquaient la fin de l'hiver et le renouveau de la nature. Un rite de fécondation que l'on retrouve, sous une forme ou sous une autre, dans toutes les civilisations.

« Certains pensent que la Saint-Valentin est associée aux lupercales romaines. »

D'autres historiens affirment que la Saint-Valentin perpétue le souvenir de Charles d'Orléans, poète français fait prisonnier en 1415 à la bataille d'Azincourt et qui, depuis la tour de Londres où il était enfermé, envoyait des courriers passionnés – dont l'un en date du 14 février – à Marie de Clèves, qu'il devait épouser à sa libération et qui lui donna un fils, le futur roi Louis XII.

D'autres encore font référence au « galentin », du nom du cavalier que les jeunes filles du Moyen Âge choisissaient pour les accompagner lors d'une sortie, le cavalier étant tenu d'offrir un cadeau à celle qui l'avait élu. Longtemps, ce fut également le 14 février que les filles essayaient de deviner à quoi pourrait bien ressembler leur futur mari. Si elles voyaient passer un rouge-gorge, elles étaient sûres d'épouser un marin. Un moineau était gage d'une union heureuse avec un homme pauvre, alors qu'un chardonneret annonçait un « bon » mariage.

D'autres enfin pensent que la Saint-Valentin est associée aux lupercales romaines, Lupercus, assimilé à Pan, étant le dieu des troupeaux et des bergers, et le 15 février, date de ces fêtes, marquant également le début du

Saint-Valentin. Sophie Daumier
et Marcel Amont s'offrent
des cadeaux à l'effigie
des personnages de Peynet (1960).

Les roses sont d'indispensables
attributs de la Saint-Valentin.

À droite : couple fêtant la Saint-Valentin en 1967.

L'actrice Jeanne Sourza félicite les amoureux de la Saint-Valentin (14 février 1959).

MAXIMES ET POÈME

« À la Saint-Valentin, la roue gèle avant le moulin. »

« Pour la Saint-Valentin, la pie monte au pin, si elle n'y couche pas, ne te réjouis pas. »

« Séverin, Valentin, Faustin font tout geler sur leur chemin. »

C'est Saint-Valentin !
Je dois et je n'ose
Lui dire au matin...
La terrible chose
Que Saint-Valentin !
(A Poor Young Shepherd,
de Paul Verlaine.)

« Il est d'usage d'offrir un bouquet de fleurs ou des chocolats à la personne aimée. »

« Depuis quelques années, Valentin a repris quelque couleur. »

printemps dans la Rome antique. À cette occasion, on tirait au sort les noms des garçons et des filles inscrits à la loterie de l'amour et qui devaient alors faire couple fixe durant un an – voire plus si affinités.

Il est d'usage, sous nos latitudes, d'offrir un bouquet de fleurs ou des chocolats à la personne aimée. Ce n'est rien au regard des quelque 900 millions de cartes postales échangées aux États-Unis à l'occasion de Saint Valentine's Day.

En France, c'est au cœur du Berry que Saint-Valentin prend ses quartiers. Chaque année, durant le week-end qui précède le 14 février, les amoureux participent au concours du plus beau baiser et ont la possibilité de planter un arbre, cèdre, érable, cerisier ou pommier, sur un terrain réservé par la commune à cet usage. Il faut dire que ce village (moins de 300 habitants) est le seul en France à porter le nom de Saint-Valentin, et qu'il bénéficie d'une oblitération spéciale de la poste représentant les amoureux de Peynet.

Autre manifestation sympathique, celle que célèbre un village du sud de la France afin de commémorer l'arrivée des reliques de saint Valentin, voilà plus d'un siècle. À cette occasion, Roquemaure retrouve l'aspect qu'il avait à l'époque, avec marché à l'ancienne, attelages et cavaliers. Valentin ne jouit pas partout de la même cote... d'amour, même si, depuis quelques années, il a repris quelque couleur. Il suffit, à l'approche du mois de février, de flâner devant les vitrines des fleuristes, des pâtissiers ou des boutiques de mode. Le cœur y est à l'honneur, sous forme de bouquets, de gâteaux ou de... sacs à main. Preuve, s'il en était besoin qu'il a franchi les époques, sûr de son fait !

Le mariage

L e mariage n'a longtemps été que la réunion d'une communauté d'intérêts. Il semble que, de nos jours, il soit devenu pour beaucoup la phase ultime de l'amour.

« Les choses ont bien changé, ce qui n'empêche pas le mariage de demeurer une valeur stable. »

Pas question de s'aimer sans l'autorisation du maire et la bénédiction du curé, et les enfants nés hors mariage étaient tout simplement considérés comme des bâtards. Passe encore quand le père était roi, prince ou duc. Les autres étaient mis au ban de la société. Les choses ont bien changé, ce qui n'empêche pas le mariage de demeurer une valeur stable : le taux de nuptialité est, en France, de 4,8 mariages pour 1 000 habitants, inchangé entre 1993 et 1996, même si les jeunes de moins de vingt-cinq ans ne représentent plus que le quart des nouveaux époux. Est-ce dû à la vie moderne, aux difficultés économiques, à l'air du temps ? À tout cela

Mariage exotique à Atlanta (États-Unis) dans les années 80.

Le mariage traditionnel est encore de mise au Japon, comme ici en 1993, même lorsque les mariés revêtent des costumes plus contemporains au cours de cette journée de fête.

Mariée lunaire et son époux
interplanétaire avec leurs tenues
spéciales pour évoluer
en apesanteur (1962).

103

les manifestations de l'amour

L'alliance, cadeau pour un Noël (1900).

...histoires de mariage

« Les chats mangent hors de l'assiette, et les gens d'esprit font l'amour en dehors du mariage. » (Victor Hugo.)

« Ils furent heureux... et ils eurent beaucoup d'enfants. » (Conte de fées.)

« [...] L'âme de Renée était intacte, son corps l'était plus encore, le mariage semblait avoir seulement changé sa virginité de jeune fille en virginité d'épouse. » (Jean Giraudoux.)

« Le mariage est une chose impossible et pourtant la seule solution. » (Correspondance avec Jacques Rivière, d'Alain-Fournier.)

« Le mariage tel qu'il est est une singulière chose mais après tout, on n'a encore rien trouvé de mieux. » (Journal intime, Amiel.)

« À notre époque, on ne se marie jamais très bien du premier coup. Il faut s'y reprendre. » (La Petite Fonctionnaire, d'Alfred Capus.)

« Il faut aussi de la féerie dans le mariage. » (Jules Supervielle.)

« Respecté ou brocardé, le mariage fait encore rêver. »

et à bien d'autres choses encore : en milieu urbain, un mariage sur quatre se termine par un divorce. Il y a là de quoi décourager les bonnes volontés !

Pourtant, respecté ou brocardé, le mariage fait encore rêver. On ne se marie peut-être plus pour la vie, mais on se marie, notamment quand s'annonce un enfant. Et les familles recomposées, dont il est tellement question de nos jours, sont la preuve que ce que l'on pourrait prendre pour une institution est bel et bien une ambition, un projet de vie.

La robe blanche – autrefois robe de deuil des reines de France –, que l'on voudrait symbole de virginité, n'est plus que l'emblème du « plus beau jour de la vie ». La mode s'en est répandue jusqu'en Extrême-Orient où le blanc est pourtant encore de nos jours la couleur même du deuil. Au Japon, l'épousée l'enfile par-dessus le kimono traditionnel et sous une tenue de soirée. Au Cambodge, les mariés changent plusieurs fois de tenue au cours de la cérémonie et les parents attachent ensemble les poignets des époux, de crainte sans doute que l'un des deux ne s'échappe.

« En France, on porte l'alliance à la main gauche, en Espagne, à la main droite, en Inde, à un orteil. »

Au Mexique, en guise d'alliance, c'est un lasso en forme de huit qu'on leur passe autour du cou. Autre symbole du mariage : l'alliance. En France, on la porte à la main gauche, en Espagne, à la main droite, en Inde, à un orteil – et c'est alors un anneau offert par la belle-famille de la mariée. Du riz en France, des pétales de roses ou de soucis en Inde, des confettis en Chine, des dattes ou des raisins secs au Maroc, du cumin et des pièces de monnaie en Turquie : on en jette sur les nouveaux mariés, alors que les Américains lâchent volontiers des papillons ou des colombes au sortir de l'église. Quant aux Hongrois, pragmatiques en diable, ils vendent aux invités le droit de danser avec la mariée qui se constitue ainsi un pécule qu'elle utilise généralement pour partir en voyage de noces ! Cette coutume se pratique également dans d'autres pays d'Europe de l'Est et en Amérique latine. À propos de voyage de noces, il vient en très bonne place sur les listes de mariage, meilleure en tout cas que le service à thé et l'argenterie. Autres temps, autres mœurs...

Un couple
de jeunes mariés
pendant
la Révolution
française à travers
la vision
cinématographique.
Stewart Granger
et Janet Leigh
dans *Scaramouche*
(George Sidney,
1952).

LES ANNIVERSAIRES DE MARIAGE

Une pierre, un métal, une étoffe, un arbre, une fleur, chaque anniversaire de mariage a son symbole. Citons entre autres :

1 an : coton
5 ans : bois
10 ans : étain
15 ans : saphir
20 ans : porcelaine
25 ans : argent
30 ans : perle
35 ans : rubis
40 ans : émeraude
45 ans : vermeil
50 ans : or
55 ans : orchidée
60 ans : diamant
65 ans : palissandre
70 ans : platine
75 ans : albâtre
80 ans : chêne

Petit lexique du vocabulaire amoureux

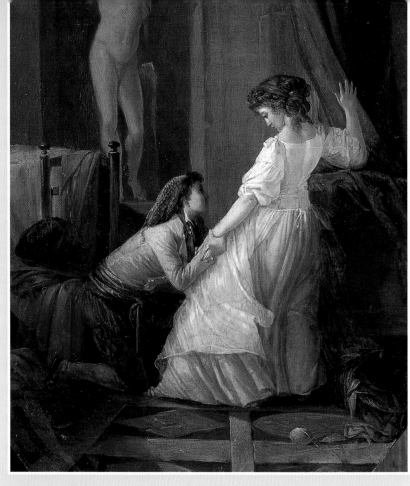

La déclaration par Jean Baptiste Mallet (1749-1825). Musée des Beaux-Arts, Valenciennes.

ADORATION

« Comblé d'amour, sentir l'amour par tous les pores, ne vivre que pour l'amour, et se voir dévoré de chagrins, pris aux mille fils d'araignée – oh mon Eva chérie, tu ne sais pas – j'ai ramassé ta carte, elle est là devant moi, et je te parle comme si tu étais là. Je te vois comme hier – belle, admirablement belle. Hier, pendant toute la soirée, je me disais :
– Elle est à moi ! Oh les anges ne sont pas si heureux en Paradis que je l'étais hier. »
Balzac à Ewelina Hanska, le 19 janvier 1834.

« Je t'envoie mille baisers passionnés, je te serre tendrement dans mes bras et je compose en imagination divers tableaux où nous figurons, toi et moi, sans rien ni personne d'autre. »
Tchekhov à son épouse Olga, le 21 août 1901.

AMANTS

« Entre amants, il n'y a que les coups et les caresses. »
Voici l'homme, de Suarès.

« L'amant est toujours plus près de l'amour que de l'aimée. »
Amphitryon 38, de Jean Giraudoux, 1929.

Amants, heureux amants, voulez-vous voyager ?
Que ce soit aux rives prochaines
Soyez-vous l'un à l'autre un monde toujours beau,
Toujours divers, toujours nouveau ;
Tenez-vous lieu de tout, comptez pour rien le reste.
Les Deux Pigeons, de La Fontaine, 1679.

BAISER

Baiser le plus célèbre. Sculpté dans le marbre en 1886 par Auguste Rodin, le Baiser, si sensuellement réaliste, fit encore scandale dans les années 1950, en Angleterre notamment...

BONHEUR

Je souhaite dans la maison :
Une femme ayant sa raison,
Un chat passant parmi les livres,
Des amis en toute saison
Sans lesquels je ne peux pas vivre.
Le Chat, de Guillaume Apollinaire, 1909.

Il ne faut pas de tout pour faire un monde.

Il faut du bonheur et rien d'autre.
Paul Eluard.

Le bonheur est dans le pré.
Cours-y vite, cours-y vite
Le bonheur est dans le pré.
Cours-y vite. Il va filer.
Le Bonheur, de Paul Fort, 1922.

CÉLÉBRATION

« L'amour exige tout et à juste titre, ainsi en est-il de moi avec toi, de toi avec moi. Si près ! si loin ! n'est-il pas un véritable édifice céleste, notre amour – mais en outre aussi solide que

la voûte du ciel. »
Beethoven, peut-être à la comtesse
Giuletta Guicciardi, le 6 juillet 1801.

« Ô Dieu ! depuis deux jours
je me demande à chaque
instant si tant de bonheur
n'est pas un rêve ; il me
semble que ce que j'éprouve
n'est plus de la terre,
je ne comprends pas
le ciel plus beau. »
Victor Hugo à Adèle Foucher,
sa future épouse, le 15 mars 1822.

DÉCLARATION
« Je vous ai destiné ma vie
aussitôt que je vous ai vu. »
Mariana Alcoforado, religieuse
portugaise, à Noël Bouton
de Chamilly, comte de Saint-Léger,
qui après l'avoir séduite,
l'abandonna.
Lettres portugaises, 1668.

« J'ai quelque chose de bête
et de ridicule à vous dire.
Je vous l'écris sottement
au lieu de vous l'avoir dit,
je ne sais pourquoi, en
rentrant de cette promenade.
J'en serai désolé ce soir.
Vous allez me rire au nez,
me prendre pour un faiseur
de phrases dans tous mes
rapports avec vous jusqu'ici.
Vous me mettrez à la porte

et vous croirez que je mens.
Je suis amoureux de vous.
Je le suis depuis le premier
jour où j'ai été chez vous. »
Alfred de Musset à George Sand,
1833.

DÉSIR
*Et le désir s'accroît quand
l'effet se recule.*
Polyeucte, de Corneille, 1642.

*Quand vers toi mes désirs
partent en caravane…*
Les Fleurs du mal, de Baudelaire,
1857.

*La nuit m'est courte,
et le jour trop me dure,
Je fuis l'amour, et le suis
à la trace,
Cruel me suis, et requiers
votre grâce,
Je prends plaisir au
tourment que j'endure.*
Sonnet, de Joachim Du Bellay,
1550.

DÉVOTION
« Si j'étais tout simplement
une femme d'esprit, je vous
dirais, mon bel oiseau,
comme quoi vous avez à vous

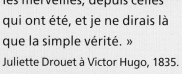
Charles Baudelaire.

tout seul la forme,
le plumage et le chant !
Je vous dirais que vous êtes
la merveille de toutes
les merveilles, depuis celles
qui ont été, et je ne dirais là
que la simple vérité. »
Juliette Drouet à Victor Hugo, 1835.

ÉROTISME
« L'érotisme est
l'approbation de la vie
jusque dans la mort. »
La Littérature et le Mal, de Georges
Bataille, 1957.

*Hier la langue me fourcha
Devisant avec Antoinette ;*

Paul Verlaine.

Alphonse de Lamartine.

Je dis foutre ! et cette
finette
Me fit la mine et se fâcha.
Je déchus de tout mon
crédit
Et vis à sa couleur
vermeille
Qu'elle aimait ce que j'avais
dit
Mais en autre part qu'en
l'oreille.

Mathurin Régnier (1573-1613).

FLAMME

« Il me semble que l'amour
doit résister à tout,
à l'absence, au malheur,
à l'infidélité, à l'oubli.
C'est quelque chose d'intime
qui est en nous, au-dessus
de nous, tout à la fois

quelque chose d'indépendant
de l'extérieur et des accidents
de la vie… nous aurons beau
faire, nous serons toujours
l'un à l'autre, quand nous
nous fâcherions nous
reviendrions toujours
l'un vers l'autre comme
des fleuves qui rentrent
dans leur lit naturel.
On ne peut se soustraire à la
fatalité de son cœur.
Tu es à moi, je suis à toi. »
Gustave Flaubert à Louise Colet,
15 novembre 1846.

INSPIRATION

« J'étais plein de la tendresse
que vous m'avez inspirée
quand j'ai paru au milieu de
nos convives ; elle brillait
dans mes yeux ;
elle échauffait mes discours ;
elle disposait de mes
mouvements ; elle se
montrait en tout. Je leur
semblais extraordinaire,
inspiré, divin. Grimm n'avait
pas assez de ses yeux pour me
regarder ; pas assez de ses
oreilles pour m'entendre ;
tous étaient étonnés ;
moi-même, j'éprouvais
une satisfaction intérieure
que je ne saurais vous rendre.
C'était comme un feu qui
brûlait au fond de mon âme,

dont ma poitrine était
embrasée, qui se répandait
sur eux et qui les allumait.
Nous avons passé une soirée
d'enthousiasme dont j'étais
le foyer. »
Denis Diderot à Sophie Vollant,
le 10 octobre 1759.

INSTALLATION

« Chère petite femme,
j'ai une foule de prières à
t'adresser : primo je te prie de
ne pas être triste, secundo
de veiller sur ta santé et
de ne pas te fier à l'air du
printemps, tertio de ne pas

Jacques Prévert.

Guillaume Apollinaire.

sortir seule à pied, et, encore mieux, de ne pas sortir du tout à pied, quarto d'être bien assurée de mon amour. Je ne t'ai pas écrit une lettre sans avoir devant moi ton cher portrait. »
Mozart à son épouse Constance, le 16 avril 1789.

LIT
Nous aurons des lits pleins d'odeurs légères…
La Mort des amants dans *les Fleurs du mal*, de Baudelaire, 1857.

OBSESSION
« L'abandon, l'opprobre, la malédiction semblent m'entourer. Il s'en est fallu de peu que je ne me tuasse cette nuit. J'ai voulu prier, j'ai frappé la terre de mon front, j'ai invoqué la pitié céleste, point de pitié. Il se peut que je commence à devenir fou. »
Benjamin Constant à Mᵐᵉ Récamier, le 5 septembre 1815.

POÉSIE
Nous sommes seuls
Et je chante pour vous
*   librement joyeusement*
Tandis que seule votre voix
*   pure me répond*
Qu'il serait temps que
*   s'élevât cette harmonie*
Sur l'océan sanglant de
*   ces pauvres années*
Où le jour est atroce
*   où le soleil est la blessure*
Par où s'écoule en vain la
*   vie de l'univers*
Qu'il serait temps ma
*   Madeleine de lever*
*   l'ancre !*
Guillaume Apollinaire à Madeleine Pagès, 1915.

POSSESSION
« Je suis toute pénétrée de ce bonheur que j'ai de vous avoir – rien d'autre ne compte. Je vous ai, petit tout précieux, petit bien-aimé – aussi bien aujourd'hui qu'avant-hier quand je vous voyais et je vous aurai jusqu'à votre mort – après ça, rien n'a vraiment d'importance de tout ce qui peut m'arriver. Je ne suis non seulement pas triste, mais même profondément heureuse et assurée – même les plus tendres souvenirs de tous vos chers visages et de vos petits bras en corbeille le matin autour de l'oreiller ne me

Louis Aragon.

sont pas douloureux. Je me sens tout enveloppée et soutenue par votre amour. »
Simone de Beauvoir à Jean-Paul Sartre, 1940.

PREMIÈRE FOIS
« Maman !… Je voudrais
*   qu'on en meure »*
Fit-elle à pleine voix.
C'est que c'est la première
*   fois, Madame, et la*
*   meilleure.*
Paul-Jean Toulet.

RÉVÉLATION
« Je croyais participer à je ne sais quelle fête mystérieuse nouvelle et éternelle à la fois… Là il n'y avait plus ni espace, ni temps, ni paroles… mais Infini, Amour, Oubli, Volupté, Charité ! Dieu enfin… Dieu, tel que mon âme le cherche… tel que le désespoir et l'excès de la douleur le pressentent parfois… Dieu tout aimant et tout puissant… »
Franz Liszt à Marie d'Agoult, le 18 mai 1834.

VERTU
Vertu en amour n'a pas grand' prouesse.
Chansons, de Clément Marot.

Couple s'embrassant.
Peinture du XVIIIe siècle exprimant
le caractère sensuel des amours.

Les gestes de l'amour

« Parler d'amour, c'est faire l'amour » a écrit Balzac, en 1829, dans la Physiologie du mariage, l'une de ses toutes premières œuvres. Il ne faudrait pas pour autant le prendre au pied de la lettre. Car si certains de ses romans peuvent sembler une illustration de son propre axiome, il n'en est évidemment rien pour de nombreux autres. Nul au XIXe siècle d'ailleurs, en dépit de la pudibonderie de façade en cours à l'époque, n'aurait songé à approuver cette affirmation à l'exception de quelques mauvais coucheurs. La jeune fille rougissante, fraîche émoulue du couvent, parfois accompagnée d'une duègne chargée de veiller sur le moindre de ses écarts, n'était élevée que pour faire un beau mariage et donner des enfants à son mari. À l'époque, la société bourgeoise française s'appuyait sur la morale de l'Église du temps.

« De nos jours, l'on va jusqu'à extérioriser ses sentiments aux yeux de tous. »

Mais derrière les conventions, tout était bien entendu possible, à l'abri des regards publics naturellement. D'où les manifestations plus que pudiques qui eurent cours jusqu'au milieu du XXe siècle, étreintes, baisers et toute allusion au plaisir ayant été officiellement bannis des comportements amoureux. Pour la jeune fille et pour la femme, les aventures galantes comme les exploits sexuels ayant toujours été encensés, voire encouragés, lorsqu'il s'agissait de la gent masculine.

De nos jours, pour paraphraser Balzac, on en parle et on le fait. Sans honte ni fausse pudeur. Que l'on soit fille ou garçon. Que l'on soit follement épris ou tout juste attiré par l'autre. Et l'on va même jusqu'à extérioriser ses sentiments aux yeux de tous, par des gestes qui, il y a peu de temps encore, étaient réservés à la plus stricte intimité.

Illustration pour
Mémoire de deux jeunes mariés, roman
d'Honoré de Balzac. Gravure de 1879.

Mars et Vénus.
Gravure d'après
Nicolas Poussin
(1594-1665).
La guerre est
suspendue
pendant
le temps
des amours.

La Leçon d'union conjugale, d'après Louis Léopold Boilly (1761-1845). Bibliothèque nationale de France, Paris.

« Les caresses, timides d'abord puis osées, audacieuses enfin, font partie du rituel de l'amour. »

On n'hésite plus à s'étreindre, à s'embrasser sur la place publique, sans soulever pour autant la réprobation d'autrui. Se tenir par les épaules n'est plus depuis longtemps signe de débauche et de dépravation. Et concevoir un enfant hors mariage fait partie de l'ordre des choses. Ou presque.

Mais avant d'en arriver là, d'autres gestes comptent, et non des moindres. Ayant présente à l'esprit la définition que donne du mot « geste » le *Larousse :* « mouvement de la main, du bras ou du corps », que dire de plus et de mieux de l'amour sinon qu'il est approche, tentative d'appropriation et de « possession » de l'autre… Les caresses, timides d'abord puis osées, audacieuses enfin, font partie du rituel de l'amour. « Entre amants, il n'y a que les coups et les caresses », écrivait Suarès dans *Voici l'homme.* Choisissons les caresses, qui expriment parfaitement un sentiment simple et complexe à la fois.

Naguère, s'embrasser ou s'enlacer en public était considéré comme audacieux, voire indécent. On se contentait de flirter gentiment ; au-delà, on bravait l'interdit. « Le christianisme a beaucoup fait pour l'amour en en faisant un péché », écrira Anatole France en 1894 dans *le Jardin d'Épicure,* mais il n'y avait pas que les catholiques pour être choqués par des comportements dont on se doutait bien qu'ils traduisaient des intentions précises. La jeune fille qui « fautait » était mise au ban de la société, le mariage seul autorisant l'acte d'amour.

La libération des mœurs, accompagnée par un effacement de la religion et par l'apparition de la contraception (sous nos climats du moins) ont certes banalisé cet acte. Elles ont également fait tomber le tabou et, au bout du compte, rendu l'amour à l'amour. Le plaisir est une valeur admise, revendiquée. Le rêve des amoureux, qui est de communier par le cœur et le corps, est devenu réalité. Un beau geste de la part de Cupidon, petit dieu malin qui, finalement, n'en fait qu'à sa tête !…

L'Étreinte
de Carl Binder
(fin XIXe siècle-
début XXe siècle)
exprime toute
la sensualité
amoureuse.

Mi corazon

mon lapin

НАДЕЖДА

SURNOMS
ET MOTS DOUX

Les mots doux comme les surnoms
sont indissociables de l'expression
amoureuse. Certains peuvent sembler
obsolètes, d'autres franchement
ridicules, fréquemment inintelligibles
sinon pour les intéressés eux-mêmes.
Peu importe qui les invente,
qui les entend. Mon pigeon (...) mon...
ma... L'imagination des amoureux
est inépuisable. Et les animaux sont
pour eux une source continue d'inspiration.

mon coin de paradis

σε αγαπώ

عزيزتي
حبيبي

mon ange

Ti voglio tanto bene

Sweet heart

ma poule

МОЙ ГОЛУБЧИК

Ich liebe dich

حَبِّي

Mon sucre d'orge

Amore mio

J love you

ma colombe mon toit mon canard

당신을 사랑합니다

Я ТЕБЯ ЛЮБЛЮ

Mi sei molto cara

Te quiero

Ma Puce

LE BAISER

Au XXe siècle, le baiser,
de préférence passionné, est
la marque même de l'amour,
magnifié par la poésie, la peinture,
la sculpture et le cinéma.

Bouches gourmandes des couleurs
Et les baisers qui la dessinent
Flamme feuille l'eau langoureuse
Une aile les tient dans sa paume
Un rire les renverse

Paul Eluard

Départ de la classe (1938).
« Un baiser mais à tout prendre qu'est-ce ?
Un serment fait d'un peu plus près,
une promesse plus précise, un aveu qui veut
se confirmer, un point rose qu'on met sur l'i du
verbe aimer.
C'est un secret qui prend la bouche pour
oreille. »
Cyrano de Bergerac, d'Edmond Rostand, 1897.

Printemps, de Louis
Henri Nicot (1878-
1944). Salon de 1913.
« L'amour humain
ne se distingue
du rut stupide
des animaux
que par deux
fonctions divines :
la caresse et
le baiser. »
Aphrodite,
de Pierre Louÿs.

Marcello Mastroianni et Anita Ekberg dans la Dolce Vita de
Federico Fellini (1960).

Le Baiser dérobé, gravé par Jean-Baptiste Regnault (1754-1829), d'après Fragonard. Bibliothèque nationale de France. « Un baiser légal ne vaut jamais un baiser volé », Confession d'une femme, de Guy de Maupassant (1850-1893).

Baiser fougueux dans Corsair (Roland West, 1931) entre Chester Morris et Alison Loyd.

Le baiser le plus long de l'histoire du cinéma dure 3'15" dans un film de deuxième catégorie intitulé You Are in the Army Now avec Jane Wyman et Regis Toomy. Il est suivi par celui des Enchaînés d'Alfred Hitchcock, et par celui, célébrissime, de Tant qu'il y aura des hommes (ci-dessous) avec Burt Lancaster et Deborah Kerr (1953).

Index

CRÉDITS PHOTOGRAPHIQUES

1re de couverture : rue des Archives. 4e de couverture : (h) rue des Archives, (b) Sunset.
Légende de la couverture : Humphrey Bogart et Lauren Bacall, couple mythique au cinéma et dans la vie, en vacances à bord d'un voilier dans les années 40. **Légende de la 4e de couverture :** amoureux sur un banc public au Père-Lachaise à Paris en 1955.

Roger-Viollet : Boyer-Viollet : p. 8 (bd), p. 36 (bm). Collection Viollet : p. 11 (d), p. 12 (médaillon), p. 14-15 (centre), p. 18 (d), p. 19 (bg et bd), p. 30 (h), p. 42 (hg), p. 43 (hg), p. 44 (b), p. 45 (h et b), p. 46 (hd), p. 47 (hg et hm), p. 56 (bg et bd), p. 60 (h, m et b), p. 77 (hd), p. 80 (hg), p. 90 (bd), p. 94 (bd), p. 107 (m), p. 108 (d), p. 109 (g). Harlingue-Viollet : p. 19 (hg), p. 46 (hg), p. 57 (h), p. 108 (g). Lipnitzki-Viollet : p. 21 (d), p. 85 (h). ND-Viollet : p. 43 (hd), p. 44 (h), p. 76 (bd), p. 93 (bd et hg), p. 116 (bg). Roger-Viollet : p.11 (bg), p. 19 (hd), p. 20 (h et b), p. 22 (hg), p. 23 (bg et bd), p. 26, p. 27 (bg), p. 28 (hd), p. 32 (b), p. 33, p. 43 (bg et bd), p. 46 (b), p. 56 (hg), p. 57 (bg), p. 61 (hd), p. 94 (hg et hd), p. 104 (d), p. 107 (d), p. 110, p. 111, p. 112, p. 113, p. 117 (hd).
Rue des Archives : p. 9 (bg), p. 16 (hg), p. 21 (g), p. 27 (bd), p. 36 (d), p. 37 (g), p. 38, p. 41 (g et d), p. 42 (bg), p. 48, p. 49, p. 51 (b), p. 52, p. 64 (bd), p. 87, p. 88-89, p. 90 (bm), p. 91 (bm), p. 92 (hd), p. 95 (bd), p. 99 (hg), p. 100 (hg), p. 101, p. 103 (d), p. 109 (d), p. 116 (hd), p. 117 (bg et bd). AGIP : p. 40 (h), p. 42 (hd), p. 50 (hd), p. 54 (bd), p. 61 (hg et b), p. 84 (hd). CS/FF : p. 55 (hd). Everett : p. 37 (m et d), p. 50 (hg, bg et bd), p. 51 (h), p. 55 (bd), p. 58 (h), p. 76 (h), p. 91 (bd), p. 105. SIMA : p. 47 (b). TAL : p. 57 (bd). Varma : p. 70 (bg). **Giraudon :** p. 11 (hg), p. 12 (h), p. 14 (g et mg), p. 15 (b), p. 17, p. 23 (m), p. 25 (hg), p. 64 (bg), p. 78 (b). Giraudon-PEL : p. 6-7. Lauros-Giraudon : p. 12 (fond), p. 13 (hg, hd et bg), p. 14 (bd), p. 15 (h), p. 18 (g), p. 23 (h), p. 25 (hd), p. 27 (hd), p. 65 (bg). Alinari-Giraudon : p. 22 (hd et b), p. 25 (bg). Bridgeman-Giraudon : p. 24 (g), p. 25 (bd), p. 29 (hg et hd). BL-Giraudon : p. 28 (hg). **PIX :** p. 69 (bd). J.-P. Lescourret : p. 66 (h). M. Dusart : p. 67 (b). V.C.L./N. Clément : p. 68 (g). D. Noton : p. 68 (bd), p. 68-69 (hm). F.P.G. : p. 70 (hg). Jochem D. Wijnands : p. 70 (hg). P. Thompson : p. 71, p. 74. F. Guiziou : p. 72 (mg). F.P.G./D. Hebert : p. 72 (hg). P. Adams : p.72-73 (hm). Bavaria : p. 73 (bd), p. 75 (bd). Vega : p. 75 (hg). L. Delhourme : p. 80 (bg). Bluestone Productions : p. 81. V.C.L. : p. 82, p. 83, p. 84 (hg). J.P. Fruchet : p. 86 (d). **Gamma :** Francis Demange : p. 32 (h). Bolcina : p. 39. François Lochon : p. 40 (bg). De Waele Yim : p. 41 (m). P. Guenini : p. 64 (bm). R. Benali : p. 66 (b). E. Bouvet : p. 65 (bd), p. 67 (h). Chip Hires : p. 84 (b). K. Daher : p. 85 (b). Grosset/Spooner : p. 86 (g). A. Duclos : p. 95 (bg), reprise p. 104 (g). D. Simon : p. 103 (g). Seizt : p. 77 (bg). M. Evans : p. 102 (g). **Collection Christophe L. :** p. 9 (bd), p. 29 (bg), p. 30 (b), p. 34-35, p. 53, p. 54 (hg et bg), p. 58 (g), p. 59 (h et b), p. 90 (bg), p. 116 (bd). **RMN :** G. Blot : p. 8 (bg), p. 36 (bg), p. 79, p. 92 (bg), p. 95 (hg). Lewandowski/Ojeda : p. 10. D. Arnaudet/J. Schormans : p. 62-63. R.G. Ojeda/K. El M. : p. 106. **Sipa Press :** p. 102 (d). Malzieu : p. 76 (bg). Yasuichi Suzuki : p. 91 (bg). **Copyright :** p. 96-97 sauf p. 96 (hd). **Sunset :** p. 96 (hd). **ADAGP :** p. 13 (hd).

LÉGENDES DES PHOTOS D'OUVERTURE

p. 6-7 : *Naissance de Vénus* par Alexandre Cabanel (1823-1889). Musée d'Orsay, Paris.
p. 34-35 : *les Enchaînés* d'Alfred Hitchcock avec Ingrid Bergman et Cary Grant en 1946.
p. 62-63 : *le Temple de l'amour* par Auguste Garneray (1785-1824). Château de Malmaison et Bois-Préau.
p. 88-89 : carte postale fantaisie représentant un couple d'amoureux au temps de la Belle Époque.

Conçu et réalisé par Copyright pour les Éditions Solar
Conception graphique : Ute-Charlotte Hettler
Couverture : Claire Brenier
Maquette : Nicole Leymarie
Coordination éditoriale : Julie Pinon
Collaboration éditoriale : Janine Trotereau

Si vous souhaitez recevoir notre catalogue
et être tenu au courant de nos publications,
envoyez-nous vos nom et adresse, en citant
ce livre et en précisant les domaines
qui vous intéressent.

Éditions SOLAR
12, avenue d'Italie
75013 PARIS
site Internet : www.solar.tm.fr

© Solar 2000
ISBN : 2-263-02966-4
Code éditeur : S02966
Dépôt légal : janvier 2000
Imprimé en Espagne